Les Éditions du Boréal
4447, rue Saint-Denis
Montréal (Québec) H2J 2L2
www.editionsboreal.qc.ca

LA LUNE
DANS UN HLM

DU MÊME AUTEUR

*Borderline,* roman, 2000 ; coll. « Boréal compact », 2003.

*La Brèche,* roman, 2002.

Marie-Sissi Labrèche

# LA LUNE
# DANS UN HLM

*roman*

Boréal

L'auteur remercie le Conseil des Arts du Canada pour son appui.

Les Éditions du Boréal reconnaissent l'aide financière du gouvernement
du Canada par l'entremise du Programme d'aide au développement
de l'industrie de l'édition (PADIÉ) pour ses activités d'édition et remercient
le Conseil des Arts du Canada pour son soutien financier.

Les Éditions du Boréal sont inscrites au Programme d'aide aux entreprises
du livre et de l'édition spécialisée de la SODEC et bénéficient du Programme
de crédit d'impôt pour l'édition de livres du gouvernement du Québec.

Diffusion au Canada : Dimedia
Diffusion et distribution en Europe : Volumen

*Catalogage avant publication de Bibliothèque et Archives Canada*

Labrèche, Marie-Sissi, 1969-

La Lune dans un HLM

ISBN-13 : 978-2-7646-0463-2

ISBN-10 : 2-7646-0463-7

I. Titre.

PS8573.A246L86     2006     C843'.6     C2006-941071-2

PS9573.A246L86     2006

*À Elle.*

*Quand je peins la fumée, je veux
qu'on puisse planter un clou dedans.*

PICASSO

# Première lettre

*Tu continues d'aspirer avec ta paille, même s'il n'y a plus de liquide dans la canette de Coke. Et tu aspires et tu aspires et ça fait un bruit métallique énervant, irritant, qui me propulse dans un autre monde où je marche au plafond avec des yeux menaçants et une langue de serpent. De toute façon, j'ai toujours été écartelée entre la réalité et la fiction, tu m'y as habituée si tôt en engueulant les pots de confitures et en voyant Jésus au pied de ton lit. C'est pour cela qu'aujourd'hui, dans la chambre de ma grand-mère morte, assise sur son lit, j'ai décidé de t'écrire. Je profite de mon passage de trois semaines à Montréal pour me vider le cœur; passer l'aspirateur dans les moindres recoins de mon être afin de t'extirper pour de bon. Oui, maman, c'est à toi que je m'adresse, c'est à toi que je dédie ce livre, le Elle en exergue, c'est le tien. En fait, tu ne le sais pas, et peut-être ne sauras-tu jamais qu'un livre t'est dédicacé, qu'un livre te parle devant public, que je me sers de mes écrits pour laver notre linge sale en famille. Je te demanderai, comme pour mes précédents romans, de ne pas le lire, et tu m'écouteras, du moins si je parviens à t'en convaincre à temps. Car mon deuxième, tu l'as lu. Dès que tu as vu la photo de ta fille dans un journal, roman en main, tu as sprinté jusqu'à la librairie la plus proche pour te procurer un exemplaire. Il fallait que tu saches ce qui sort de la tête de ta progéniture, quel type de monstre ou de fée tu as engendré. Tu l'as payé avec l'argent que tu parviens à économiser à coups de privations, en fumant moins de Peter Jackson, en buvant moins d'eau gazeuse. Une fois dans ton HLM, tu as sorti du sac en plastique la création de ta fille, tu l'as déposée sur tes genoux, passant doucement ta main tremblante sur la couverture comme si tu caressais ton petit-fils, puis tu l'as ouverte pour lire quelques extraits, au hasard, principalement au milieu, c'est là que tu as lu que l'héroïne qui porte presque mon prénom saignait. Tu t'es précipitée sur la fin pour t'assurer que rien de grave ne m'était arrivé, que je n'étais pas morte, même si on se parle tous les jours. Mais ce livre-ci, il est préférable que tu ne le lises pas, car je l'écris pour me débarrasser de toi. À l'aide de mon crayon, je me fais une césarienne sans anesthésie pour t'extraire de mon ventre; couper le cordon ombilical afin que je puisse respirer librement. Le pire est que je suis en train de pratiquer l'intervention à deux pas de toi, puisque je te vois du lit où je t'écris. Tu es assise et tu regardes devant toi, dans le vide de la fenêtre, en attendant que je lâche mon iBook pour aller te rejoindre, m'asseoir à table avec toi, côte à côte, les mains bien à plat sur la surface en mélamine comme s'il s'agissait d'une séance de spiritisme, et que tu puisses me raconter ce dont tu as rêvé cette nuit, les morts et les bébés naissants, les infos que tu as vues au* Téléjournal *et surtout ce que tu veux me donner pour mon anniversaire dans trois semaines. Depuis mon arrivée, hier, tu fais une fixation sur mon anniversaire, tu obsèdes, tu compulses, tu veux tellement me faire plaisir que ça te rend malade, ça te creuse une ride immense entre les deux yeux, un cratère lunaire, ta tête sera bientôt séparée en deux parties égales. Mais avant que cela arrive, tu me tendras un billet de 100 $ roulé pour mon anniversaire, je te dirai de garder ton argent pour toi, que ça me ferait encore plus plaisir que tu te gâtes, que tu t'achètes ce qui te fait envie, du parfum, des bébelles, une poupée, un vêtement, un autre chat pour empester encore plus ton logement, tu ne m'écouteras pas, tu voudras me donner non seulement le 100 $ roulé, mais aussi les vêtements de la grand-mère décédée, un parapluie, des raisins mous, des bananes trop mûres, ta chemise. Tu commenceras même à la déboutonner, ta chemise, ce qui me mettra en colère, je n'aimerai pas, je n'ai jamais aimé voir ton ventre flétri, ta peau jaune qui s'étire jusqu'en Alaska, tes mamelons beige pâle qui s'échappent de tes immenses soutiens-gorge en dentelle jaunie. Je te hurlerai d'arrêter, d'arrêter, d'arrêter ! Mais tu ne m'écouteras pas, tu continueras, tu voudras me donner d'autres raisins mous, d'autres bananes trop mûres, tu voudras me cuisiner des egg rolls alors que, depuis que j'ai appris à parler, je te crie que je n'aime pas les egg rolls, que c'est toi qui les aimes plus que tout et qu'il ne faut plus que tu me confondes avec toi, mais comme toujours, tu ne m'écouteras pas, alors je me choquerai et j'irai m'enfermer dans les toilettes, je t'entendrai parler à travers la porte, tu me demanderas quel type de laitue je veux dans mes egg rolls, de l'iceberg ? de la frisée ? de la romaine ? Est-ce que je les préférerais à la viande hachée ou au poulet, les egg rolls ?*

*J'aurai envie de te dire de te les foutre au cul, tes egg rolls, mais je me la fermerai, je me mordrai l'intérieur des joues au sang à en avoir un goût métallique jusqu'au tombeau, surtout quand tu me raconteras, toujours à travers la porte des toilettes, que si jamais je souffre de constipation et qu'un bout de moi, de mon intestin, sort de mon corps, tu as un bon truc, appliquer de l'huile pour bébé matin et soir, que tu viens juste de le faire et que le bout qui sortait de ton corps ou de ton intestin, je ne sais pas, s'est remis en place. Et là j'aurai envie de hurler comme une manifestante d'aller te faire voir loin loin, maudite folle, que je ne suis certainement pas ta fille, que tu as dû me kidnapper à la pouponnière quand je suis née, que ça ne se peut pas que je sois sortie de toi comme ton bout d'intestin! Mais ça ne se dit pas. On ne dit pas de telles choses à sa mère, surtout si elle est malade, si elle n'est pas armée pour la vie. Pour quelle fille ingrate passe-t-on? Alors je l'écris. Je n'ai pas le choix. C'est ça ou c'est comme si je me tirais une balle dans la tête, ou plutôt comme si je te laissais m'avaler, me manger toute crue. Lustucru. Comme ta mère l'a fait avec toi, comme sa mère, qui a eu une portée de dix-huit enfants, l'a probablement fait avant avec elle et les dix-sept autres. Lustucru. C'est de famille, le cannibalisme. Mais je stoppe la lignée, coït interrompu en plein milieu du festin. En fait, ce livre, je l'écris non pas contre toi, mais pour moi, pour laisser toute la place à mon avenir. Même si je raconterai des choses qui te sont familières, j'y injecterai beaucoup de fiction, car comme disait Oscar Wilde: «Prêtez-moi un masque et je vous dirai la vérité.» Il paraît que c'est lorsqu'on est dans la fiction que la vérité se pointe le bout du nez, c'est dans la fiction qu'on peut évacuer le plus de méchanceté et le plus de bonté aussi. C'est compliqué pour toi cette explica-*

14

tion, hein, maman ? Avec seulement une septième année, tu as toujours eu de la difficulté à me comprendre, à être sur la même longueur d'onde que moi. Sans oublier tes milliers d'hallucinations qui t'éloignaient encore plus de moi : Judas, Jésus, les Vietcongs, il y avait trop de monde entre nous. Ce n'est pas grave. L'important est qu'aujourd'hui je me libère de tes chaînes maternelles, car même si je suis une adulte, j'ai toujours trop « mal à ma mère ». Alors voilà, je commence mon curetage, je commence mon roman. C'est l'histoire de Léa et de sa mère folle.

# CHAPITRE 1

## La femme qui pleure

*Paris, 18 octobre 1937*
*Huile sur toile, 55,3 cm x 46,3 cm*
*Paris, Musée Picasso*

Léa est debout non loin d'un cercueil qui, croit-elle, semble attendre le moment propice pour la pilonner. Sa grand-mère est couchée dedans, morte, vraiment très morte. Léa se dit qu'on a remplacé tout l'intérieur du corps de la vieille, foie, pancréas, reins, viscères, par de la matière synthétique ou peut-être de la plume d'oie. « Ma grand-mère est tellement rembourrée et maquillée qu'elle ressemble à un hamster empaillé. Vivante, personne n'aurait pu la rembourrer et encore moins la maquiller, elle se serait battue à coups de torchon à vaisselle, jusqu'à ce que mort s'ensuive. C'était une guerrière, mon ancêtre, une Conan le Barbare. Elle n'était pas comme moi qui passe le plus clair de mon temps dans un lit ou sur une chaise, bien droite, à m'inventer des mondes et à les dessiner », songe-t-elle en s'essuyant le front avec la manche de sa redingote. Léa est trempée en lavette, il fait une chaleur d'enfer dans le salon funéraire, elle se dit qu'elle donnerait tout, en ce moment, pour se débarrasser de ses vêtements et aller nue comme un ver ici et là sous les néons jaunes, entre les couronnes de fleurs et les cadavres, les effluves de lilas et les murs tristes. Mais elle ne peut pas enlever ses habits qui empêchent ses ailes de se déployer dans son dos, et qu'elle s'envole, et qu'elle s'envole.

Alors elle reste là, debout dans le salon funéraire, pas trop loin de sa grand-mère embaumée, avec son corps en sueur et ses pensées débiles qu'elle laisse agir sur elle à s'en rendre toute guimauve. Là, elle s'imagine en train de peindre une murale d'êtres défigurés par des couleurs violentes. Et elle se voit très bien en pleine action. « Ma murale réduirait à néant toutes les faces à claques en un coup d'œil, *Le Jugement dernier* en version interactive ! » Léa est sûre qu'un jour elle sera la plus grande peintre que la terre ait portée, comme Picasso, son idole, et comme lui, elle pourra envoyer paître autrui et qu'il en redemande, qu'avec un gribouillis sur une serviette de table elle s'offrira des repas hors de prix dans les plus grands restaurants, que sa bouille se retrouvera dans le *Larousse* des noms propres, comme Gutenberg qui a inventé l'imprimante, pouffe-t-elle. Et elle continue à rêvasser à ce jour béni où elle prendra ses désirs par la queue et peindra avec son âme dégoulinante des tableaux qui donnent envie de changer de vie, peindra, avec des tas de couleurs qui saignent, des barres affilées comme des couteaux, des courbes brisées, des ventres déchirés. « Depuis le temps que je ronge mes pinceaux dans mon coin, maudit ! Je vais bien finir par réussir ! » Pour l'instant, elle reste coite, car elle ne peut pas s'exercer dans ses projections futures. Sa grand-mère a décidé de passer le torchon à vaisselle à gauche il y a deux jours.

Toutes les personnes qui sont réunies au salon funéraire sont des clients du Wal-Mart où elle travaille. Léa avait si peur qu'il n'y ait personne au salon funéraire pour dire adieu à sa grand-mère qu'elle a invité les têtes qu'elle voit le plus souvent. Elle et sa famille sont isolées. Dans le tableau familial, il y a elle, sa mère, sa grand-mère qui n'est plus et feu Miaou, le chat empaillé, qui trône sur le téléviseur, c'est tout. Elles n'ont jamais pu créer de liens avec autrui, les autres avaient peur d'elles, en particulier de la grand-mère qui répandait ses coups de torchon à vaisselle comme une duchesse de carnaval à tous ceux qui osaient venir chez elle. Léa se dit qu'elle a la famille qu'elle peut, une famille à son image : une grand-mère à enterrer, des consommateurs à profusion et une mère qui se berce en avant en arrière comme un métronome détraqué.

Dans la salle éclairée aux néons, entourée par ses clients, Léa girouette, bouge sans arrêt, s'assoit, tape du pied sur le sol, des doigts sur les murs, se lève, sort de la pièce où son ancêtre repose en paix ou en remords, se promène dans les couloirs du centre Urgel Bourgie à travers les urnes encastrées dans les murs, elle va dehors, fume clope après clope sous le soleil tapant, et encore, clope par-dessus clope. Elle retourne à l'intérieur du salon funéraire, ferme les yeux en passant devant l'écriteau qui annonce qu'en ce 23 octobre sa grand-mère est exposée ici. Et après son exposition, Léa se dit que son aïeule ne sera plus dans les parages ni même dans les *Pages blanches*. C'est pour cela qu'elle bouge sans arrêt, qu'elle se promène entre les urnes et les faux lilas qui embaument le lilas. « Je voudrais tellement m'occuper que je passerais l'aspirateur dans tout l'édifice, je tondrais la pelouse du parc commémoratif, je laverais les assiettes, les chaudrons et les tasses à la cafétéria si ça pouvait faire passer plus vite cette maudite journée. Je plongerais mes mains dans l'eau de vaisselle sale et nagerais dans l'océan, avec le temps je me transformerais en goutte de pluie et je pleuvrais dans les yeux des gens, je serais partout à la fois, pas juste ici, dans le salon funéraire Urgel Bourgie à tenter d'arrêter de bouger », grommelle-t-elle.

Quand elle parvient à s'immobiliser, ses clients forment un cercle autour d'elle. Léa les imagine en danseurs sur une piste de danse, qui se font aller en rond en vrais imbéciles heureux autour des sacoches des filles. Elle les trouve ridicules, d'autant plus qu'ils n'arrêtent pas de l'observer. Elle est convaincue qu'ils sont à l'affût de ses faits et gestes, ils veulent voir si elle ne fera pas une folle d'elle comme tout à l'heure. Quand elle est entrée dans le salon funéraire, elle marchait d'un pas ferme. Enfin, elle était débarrassée de l'ancêtre qui n'arrêtait pas de l'enguirlander dans ses projets artistiques, *Tu dessines comme un grand livre pas de page!* « Peuh! Vieille chipie! » Elle allait d'aplomb dans ses habits noirs, ses souliers à talons hauts et sa tête rouge. Sa mère la suivait, sa mère recroquevillée sur elle-même comme un fœtus sans placenta à la recherche d'un ventre pour s'accrocher. Mais voilà, dès que Léa s'est approchée du cercueil, sa forteresse s'est écroulée. Deux pas en avant, le temps qu'elle regarde à l'intérieur du cercueil, elle a senti une montgolfière gonfler dans son ventre : sa grand-mère la regardait. Elle l'a vue, de ses yeux vue, elle serait prête à le jurer sur la tête de Picasso! Sa grand-mère a ouvert ses paupières de pierre et elle a plongé son œil cruel en elle, son mauvais œil des jours où elle n'était pas contente parce qu'elle prenait trop de place dans la vie. Léa est sortie de la salle à toute vitesse, même si elle avait des échasses aux pieds. Loin du film d'horreur, éclairée par des néons jaunes, encerclée par les faux lilas embaumant le lilas, ses larmes dardaient les murs du salon funéraire, transperçaient les urnes, se mélangeaient aux cendres, une boue de malheur. Elle s'est dit : La vieille chipie m'en réservait une d'outre-tombe. Son mauvais œil, c'était ma punition : la remplacer auprès de ma mère pour le restant de mes jours, moins de temps pour créer mes tableaux, et toutes ces couleurs qui me réclament et ces pinceaux qui souhaitent que je les touche et ces paysages, ces visages, ces mouvements à dessiner... C'est pour cela que j'ai chaud, parce que je viens d'accoucher de ma mère dans le salon funéraire, calvaire ! Depuis, elle ne s'approche plus du cercueil où repose son ancêtre. « La vieille pas fine ! Elle est bien capable de me balancer une autre punition, genre passer ma vie déguisée en mascotte géante ! Elle en est bien capable ! »

Par chance, ses clients l'encerclent de manière qu'elle ne voie pas l'ancêtre dans son repos éternel. Mais elle sait qu'ils ne peuvent pas encercler ses pensées qui l'assaillent, des images à se cacher en dessous du lit qu'elle voudrait tellement dessiner. Elle se dit qu'il faudra bien un jour qu'elle jette sur papier son regard sombre rempli de têtes transpercées de ciseaux, de petits bonshommes écorchés vifs, d'embryons qui supplient pour ne jamais naître, autrement qu'est-ce qu'elle pourrait devenir ? Une détraquée du métronome comme sa mère ? Ça, elle ne le veut pas. Mais elle sait qu'on ne fait pas ce genre de dessin durant une veillée funèbre. Alors, elle se retient et emmagasine les images pour plus tard quand elle sera la grande peintre de ses fantasmes, qu'on la reconnaîtra partout sur la planète, qu'on exposera ses tableaux dans les plus grands musées, qu'on l'idolâtrera comme une rock star du pinceau, que sa bouille fera la couverture des magazines d'art, qu'on pleurera quand elle se cassera un ongle, qu'on angoissera sur ses maux de tête, qu'on déroulera des tapis de roses quand elle se baladera dans la rue, qu'on sera aux petits oignons, aux petites betteraves, aux petits choux de Bruxelles avec elle, que le temps s'écroulera lorsqu'elle mourra et que le bon Dieu et saint Pierre l'accueilleront avec un bombardement d'étoiles quand elle marchera dans les nuages. « Je m'appelle Léa, et un jour je serai la plus grande peintre que la terre ait portée ! » Voilà son leit-motiv.

Une soutane la sort de ses rêveries remplies de toiles immenses peintes avec son âme qu'elle a vomie pour la ramener dans le monde des morts. L'homme la regarde comme s'il était investi de toute la douleur du monde, comme s'il vivait en permanence avec des aiguilles sous les ongles. Il y en a qui se prennent au sérieux ! pense-t-elle. Alors, elle fait comme l'homme en robe, elle se décompose un visage. La soutane veut qu'elle lui décrive comment était sa grand-mère, quel genre de femme : gentille, tra-vaillante, attentionnée, qui aidait son entourage, qui aimait la cuisine, le macramé, le petit point, le point sétia, le point d'interrogation… Il veut qu'elle lui réponde pour composer son oraison, mais le problème, c'est que pour Léa, sa grand-mère, c'était tout sauf une grand-mère.

— Laissez-moi vous dire quelle femme était ma mémé ! Ma mémé… Ah ! C'était tout un numéro, un spec-tacle ambulant, un phénomène de foire !

La soutane la regarde avec encore plus de douleur, comme s'il avait les deux pieds sur de la braise, songe-t-elle.

— Je pense qu'elle a raté sa vie quand ma mère m'a eue, elle la voulait pour elle toute seule. C'est pour cela qu'elle me donnait tout le temps des coups de torchon derrière la tête. Ce n'est pas un hasard si j'ai les cheveux rouges, je suis à vif! Ma grand-mère, c'était une vieille démone, une vieille chipie, et en plus elle ne croyait pas en Dieu! Il lui est même déjà arrivé de cracher sur des crucifix et de se servir d'eau bénite pour laver la vaisselle!

Léa raconte des mensonges, mais elle s'est dit qu'il fallait bien qu'elle pige dans le répertoire du saint homme si elle veut qu'il comprenne son phénomène ancestral. La soutane fait son signe de croix. « Tu peux toujours te signer, c'est trop pour tes saintes oreilles, hein? Ma grand-mère, c'était une esquisse jamais terminée, qui changeait de forme chaque jour, mais qui restait pareille sur un point : la noirceur », pense-t-elle. Mais elle sait qu'on ne dit pas de telles choses d'une morte. On ne dit pas que sa grand-mère était une personne sombre qui a jeté un voile de misère sur sa descendance, surtout quand cette morte nous a élevée, torchée, engueulée comme du poisson pourri. Léa sait qu'elle ne doit pas tenir ce genre de propos au curé, d'autant plus qu'elle voudrait que sa grand-mère soit toujours présente. Elle serait prête à se couper un bras et une oreille pour qu'elle revienne, non pas pour les petits bonheurs, comme le café déjà préparé quand elle se levait le matin, les berceuses rassurantes dans ses bras arthritiques quand elle saignait du nez et qu'elle avait très peur de mourir, les nuits où elle n'arrivait pas à dormir et où elle répétait à sa grand-mère : *Tchèque-moé, mémé! Tchèque-*

*moé!* Non, ce n'est pas pour ces raisons que Léa voudrait que sa grand-mère ne soit jamais morte, mais pour qu'elle continue de s'occuper de sa mère, le métronome détraqué, jusqu'à la fin des temps.

— Mais il y avait des notes de bonheur dans la musique familiale. Parfois il arrivait qu'on s'accorde et que tout devienne harmonieux. Par exemple, ma grand-mère était une hippie qui confectionnait des courtepointes à l'aide de vieux tissus, y compris des rideaux de douche. On avait droit à des courtepointes imperméables !

La sainte soutane en a assez entendu. Il ramasse ses saints instruments, et s'en va avec toute sa douleur du monde, ses aiguilles sous les ongles, ses pieds dans la braise. Léa se dit qu'il lui pardonnera d'avoir offensé la morte, car elle ne sait pas ce qu'elle fait. Il doit penser qu'elle est émue, en état de choc, troublée par cette perte. Il se dit tout cela pour se rassurer sur l'état de cette jeune femme. Mais elle, Léa, ne sait pas quel est son état, elle ne sait pas trop ce qu'elle ressent depuis que c'est arrivé.

Au départ, il y a eu l'appel.

— Mademoiselle. Ici l'hôpital, c'est au sujet de votre grand-mère…

Même si elle avait l'oreille collée sur l'appareil, elle entendait à peine les mots. Des éclairs la transperçaient, son corps se divisait en deux, puis en trois, puis en quatre, il se soustrayait peu à peu de la chambre, seuls ses bras restaient bien accrochés à son tronc, ses bras qu'elle aurait voulu lancer à l'autre bout du monde, mais comme elle ne le pouvait pas, elle gardait les bras ouverts à la manière d'un oiseau prêt à s'envoler vers la lune, un oiseau sur le lit qu'un garçon regardait désarçonné.

— Midi et Quart… s'il te plaît… prends le téléphone…

Midi et Quart, c'est un squeegee, il a des milliers de dents qui transfigurent sa bouche, il est haut comme une tour Eiffel, on dirait qu'il a la tête perpétuellement dans les nuages, surtout quand il se braque dans la rangée des ustensiles pour fixer Léa des heures durant pendant qu'elle est coincée à sa caisse. Et pour empirer le tout, il a toujours la tête penchée sur son épaule gauche, comme si ses dents étaient trop lourdes, d'où son surnom. À force de la fixer et de la suivre comme un caniche dans les allées du magasin et dans les rues quand elle a fini de travailler, elle l'a adopté, il est devenu la seule personne au monde un peu proche d'elle. C'est ainsi qu'il s'est retrouvé au cœur de sa tragédie grecque. Elle ne savait pas quel était son rôle à elle et encore moins celui de Midi et Quart. Elle se concentrait donc sur ses cuisses, elle ne savait pas pourquoi ses cuisses, ça aurait pu être son lit ou son chevalet qui la nargue avec sa toile blanche, non, ses cuisses qu'elle ne voulait pas toucher, alors elle gardait ses bras tendus, les mains le plus loin possible de son corps, en bougeant sur son lit comme la petite fille dans *The Exorcist*. Mais elle entendait quand même, elle entendait Midi et Quart dire :

— Oui… Non… Oui, je serai là… Je suis là…

Elle a entendu aussi quand il a raccroché. Il l'a regardée avec sa tête penchée et ses yeux noisette enfoncés dans son crâne, il l'a regardée se balancer encore plus fort, elle était même sur le point de quitter le lit, son corps improvisait de drôles de figures dans l'espace, s'arc-boutait, prenait des formes asymétriques, comme une toile de Picasso : un nez dans le front, deux yeux sur les joues et une cuisse disloquée.

Léa avait tout compris. C'est à ce moment-là que ça s'est ouvert. Ce qui semblait dormir en elle depuis le début de sa petite humanité s'est frayé un chemin à travers ses organes, ramassant tout ce qu'il y a de malheur, de souvenirs, et ça s'est répercuté partout sur les murs de l'appartement.

Le cri. Le cri. Le cri. Le cri. Le cri. Le cri. Le cri. Le cri. Le cri. Le cri. Le cri. Le cri. Le cri. Le cri. Le cri. Le cri. Le cri. Le cri. Le cri. Le cri. Le cri. Le cri. Le cri. Le cri. Le cri. Le cri. Le cri. Le cri. Le cri. Le cri. Le cri. Le cri. Le cri. Le cri. Le cri. Le cri.

Après une demi-heure, Midi et Quart a bien essayé de la relever, mais il n'y parvenait pas, elle n'avait plus de jambes, elle n'était qu'un cri aux cheveux rouges, un cri avec deux bras tendus comme un oiseau qui est retenu au sol, les pattes prises dans du ciment. Oui, elle a crié, mais le cri est mort dans sa gorge quand l'image de sa mère seule est apparue. Sa génitrice avec sa tête remplie de mondes saugrenus sans plus personne pour l'aider dans son quotidien. Léa s'est rendue à l'hôpital le plus vite qu'elle a pu.

À l'hôpital, dans la chambre de son ancêtre où son cadavre commençait à dégager une odeur de fin du monde, sa mère était debout à côté du lit. Elle se balançait et se frottait les mains l'une contre l'autre avec frénésie, les yeux hagards, en parlant à sa mère, en lui disant des mots doux, en lui chantant même une chanson : *Dodo, l'enfant do, l'enfant dormira bien vite. Dodo, l'enfant do, l'enfant dormira bientôt.* Oui, elle chantait tout en se balançant, elle interrompait seulement son mouvement pour caresser les cheveux de sa mère qui n'était plus qu'un paquet d'os. Le calvaire de Léa commençait, son calvaire continue.

Léa entre dans la pièce du salon funéraire. Tous les

consommateurs sont réunis autour du cercueil où repose sa grand-mère empaillée comme un hamster. Tout le monde est silencieux. Mais qu'est-ce qu'ils attendent ? Que ma grand-mère se lève de son cercueil et chante une chanson de Madonna : *Come on Vogue / Let Your Body Move to the Music* ? fulmine-t-elle. Et ça vient, justement, ce qu'ils attendaient, ce que Léa aussi attendait, même si elle ne voulait pas y penser, même si elle savait que ça allait arriver. Et ça vient, tout doucement, calmement. La plainte est lente, longue, presque douce. Elle part des tripes, elle part de toute sa misère, de sa coupure, de sa séparation. La plainte de sa mère, cette petite fille avec des rides et des cheveux gris, qui vient de perdre le centre de son univers pour de bon, sa maman morte à côté d'elle, qui ne pourra plus jamais prendre soin d'elle, qui ne lui dira plus : *Va prendre ton bain ! As-tu brossé tes dents ? Fais ton lit ! Ne bouge pas ! Mange ! Couche-toi.* Et la petite fille avec des rides ne crie pas, elle émet seulement une plainte dans son mouchoir blanc, une seule plainte qui débonde son cœur, qui se répercute sur les murs tristes, et qui résonne comme le bruit de la fin de son monde jusque dans le ventre de Léa. Elle ne voit plus que sa mère, les cheveux gras aplatis sur sa tête et ses épaules, ses yeux qui semblent couler avec ses larmes et son nez vert. Léa ne peut pas s'approcher d'elle, elle a trop chaud. Elle ne peut pas avancer vers elle, la prendre dans ses bras, lui dire que tout va aller, elle en est incapable. La plainte de sa mère la garde à distance.

La seule chose que Léa trouve à faire, c'est de s'enfuir, sortir de cette salle où son malheur est exhibé, en poussant tout le monde. Elle s'extirpe de la plainte de sa mère pour se réfugier aux toilettes. Là, entre la cuvette et le lavabo, elle se débarrasse de ses vêtements à toute vitesse comme s'ils étaient infestés de vermine, plus de redingote, plus de jupe, plus d'échasses, plus de soutien-gorge. Elle ouvre la fenêtre, le soleil s'est enfin couché. Elle prend quelques grandes respirations de la nuit. Nue devant la fenêtre ouverte sur le soir, des ailes poussent dans son dos et elle s'envole vers la lune.

# Deuxième lettre

Je sors d'une réunion qui a duré 3 h 30. Je ne suis pas habituée à ça. Moi, j'ai l'habitude de la solitude, de longs après-midi gris à tourner en rond dans la pièce comme dans ma tête, de secondes que je peux égrener comme un chapelet, d'écrire quand ça me chante, de regarder la télé quand ça me chante et de décider si oui ou non je prendrai ton appel, si oui ou non je t'écouterai comme toujours me raconter ce que tu as mangé pour déjeuner, dîner, souper, collationner, et m'énumérer tes courses : de la viande hachée, des patates, des œufs, du lait, des pommes, du chocolat, du yogourt, des céréales, des petits gâteaux Vachon, des biscuits au citron. Peut-être que ce jour-là tu me diras que c'était une journée spéciale, c'était la journée du lavage, donc tu as fait une brassée de blanc et une brassée de foncé, avec du détergent, un peu, pas beaucoup, pour ne pas en manquer, qu'à ta deuxième brassée tu as paniqué, car un des néons de la *buanderie du sous-sol de l'immeuble a explosé, tu as cru que c'était l'apocalypse, la fin de ton HLM, de ta rue, de la planète. Tu as couru te réfugier dans ton quatre et demie, t'enfermer dans ta chambre avec tes deux chats et l'odeur d'ammoniaque des litières qui débordent depuis trois mois, tu as même mis ton matelas debout contre la porte afin de ne pas être touchée par la fin des temps, mais voilà, à travers le matelas, tu as entendu un bruit sourd, des pas s'approchaient de ton appartement, des voleurs, des violeurs, des tueurs en série, la Gestapo, des tripodes, tu tremblais déjà de partout jusque dans ta langue quand tu as pris conscience que c'était la voix du concierge, il te disait que tu avais oublié ta carte magnétique pour faire ton lavage, tu as eu peur pour rien, comme souvent, comme toujours. C'est pour ces appels qui me mettent hors de moi, surtout quand je suis en train de travailler, de souper, de regarder la télé, de m'arracher les cuticules jusqu'au sang, que depuis quelques années j'ai un afficheur, 15 $ de plus par mois pour choisir d'entendre ta voix ou non, 15 $ à Montréal. En Suisse, j'ai encore un afficheur, mais je ne sais pas combien il coûte, c'est mon mari au dos cassé qui s'occupe des factures. Moi, j'écris, je prépare ses dîners et ses soupers, je fais son lavage et son repassage, je suis la femme de l'ingénieur et ma maison est impec. Oui, j'habite loin maintenant, maman, je me suis mis des timbres dans les cheveux et me suis expédiée de l'autre côté de l'Atlantique, en Suisse, pour mettre le plus d'écart entre nous. De la rue Saint-Vallier à la rue Ontario, c'était trop proche, les risques étaient importants que tu te pointes à n'importe quelle heure du jour dans ma vie, comme tu me l'as déjà fait à plusieurs reprises. Surtout cette fois terrible où je croulais sous les articles à terminer et que toi et ta mère, vous étiez* arrivées chez moi à l'improviste pour me jeter votre ennui, votre misère, votre désœuvrement en plein visage. J'avais envie de m'enfuir de chez moi, d'aller marcher longtemps, des jours, des mois, des années durant pour ne revenir que lorsque vous seriez mortes dans mon salon et que vos carcasses seraient réduites à l'état de poussière, un coup d'aspirateur pour oublier l'histoire. Mais je suis restée devant vous, écarlate, ma tension était palpable, ma bouche craquait sous les sourires, mes paroles sonnaient faux. D'une voix sèche, je vous avais implorées de me prévenir de votre visite la prochaine fois, j'ai du travail, je me démène dans la vie, je me fends le cul en quatre pour avoir une vie normale, je ne suis pas comme vous qui passez votre temps à ennuyer le monde avec votre mal-être. Vous m'aviez demandé simplement un verre d'eau et, sans vous asseoir ni enlever vos manteaux, même si vous veniez de marcher longtemps et que la grand-mère dépassait les quatre-vingt-dix ans, vous vous en étiez retournées, me laissant aux prises avec un sentiment de culpabilité étouffant comme un boa constrictor en manque d'affection. Ici, en Suisse, c'est la sécurité maximale, tu ne peux pas débarquer quand bon te semble, tu n'as jamais pris l'avion, tu n'es jamais vraiment sortie de Montréal, tu n'as même pas de passeport et encore moins d'argent pour venir harceler ta progéniture sur un autre continent. Et ça te dérange de me savoir loin, de ne pas m'avoir à portée de main, tout comme ça t'ennuie que je doive prendre l'avion pour venir au Canada. Avant mon arrivée, tu m'appelais chaque jour, parfois jusqu'à trois fois de suite, pour me faire part de ta peur de l'avion, pour me dire que je risquais ma vie, qu'un crash est si vite arrivé, ils en ont parlé au Téléjournal. Le pire est que je pense la même chose, je déteste les *avions, je me dis qu'ils sont comme Internet, qu'ils ne sont pas au point, qu'ils plantent pour un rien, une fausse manœuvre, un câble qui surchauffe, un terroriste avec une fourchette, un kid qui joue au Game Boy lors du décollage et c'en est fini. Dans mon fauteuil à trente mille pieds d'altitude, je me sens coincée comme une souris de laboratoire entre les mains d'un savant fou qui contrôle le gruyère. Dans mon fauteuil à trente mille pieds d'altitude, j'ai des pensées de mort sans arrêt, si je ne prends pas trois Rivotril et du vin rouge, j'ai envie d'en finir par moi-même, au plus vite, au plus sacrant, d'arrêter ce supplice, de prendre tous mes comprimés avec une gorgée de vin et d'ouvrir la porte de secours pour me jeter en bas sans parachute, qu'une jupe pour amortir la chute. En avion, mon manque de liberté est trop intense, en fait, il est semblable à celui que je ressens lorsque je suis à tes côtés. Tu me demandes ce que j'aimerais manger, même si ça fait dix fois que je te répète que je n'ai pas faim, que j'ai mal à l'estomac, que je viens de sortir d'une grosse réunion qui a duré 3 h 30 et que je ne suis pas habituée à ça, à une grosse réunion durant laquelle la réalisatrice et moi, on est sorties défaites, avec l'estomac perforé à force d'avoir reçu des coups de poing d'une jeune réalisatrice qui avait beaucoup aimé mon premier roman, mais qui trouvait que le scénario tiré du roman n'était pas à la hauteur. Car c'est pour cela que je suis de passage à Montréal, de passage dans ta vie pour trois semaines. C'est le producteur du film qui m'a fait venir, qui a payé le billet d'avion. Neuf heures de Lufthansa, le décalage horaire que je ne parviens pas à surmonter, en plus des articles à finir pour les magazines, les amies qui me réclament, le vin qui coule à flots, mon alcoolisme qui me sort par les oreilles, les belles rues de Montréal que je n'ai pas vues* depuis si longtemps et ma réunion de production qui m'a fait si mal à l'estomac et toi qui me harcèles avec ta nourriture et tes questions : de quelles couleurs sont les vaches dans mon nouveau pays, brunes sans taches, blanches avec des picots, mauves, jaunes ? Est-ce qu'il fait chaud là-bas ? Est-ce qu'il pleut ? Suis-je coincée dans les montagnes ? Est-ce que c'est beau comme dans le pays de Heidi, le dessin animé que je regardais avec mémé le samedi matin à 9 heures ? Et les vaches, elles doivent être belles, brunes sans taches, blanches... Tu me demandes encore ce que j'aimerais manger, tu souhaiterais beaucoup me faire de la lasagne, mais ta cuisinière est infestée de coquerelles, elles sortent des éléments chauffants, elles courent lorsque tu ouvres la porte du four, font la fête au chaud la nuit. Partout où tu as vécu, il y avait des coquerelles, mes souvenirs d'enfance sont décorés de coquerelles, toute ta vie est couverte de coquerelles. Ma psy m'a déjà dit que les coquerelles étaient le symptôme de ta folie. Tu vas et tu viens dans ton HLM avec tes symptômes sur les talons.

\* \* \*

Je ne sais pas ce qui m'a pris, je t'ai fait lire le premier chapitre, « La femme qui pleure », le chapitre qui raconte le décès de ta mère presque comme tel, sauf pour les clients du Wal-Mart. Moi, c'étaient mes ex que j'avais invités aux funérailles, un avion nolisé d'ex, je ne sais pas ce que je cherchais à leur montrer en les invitant à vivre avec moi ce dur moment, tout comme je ne sais pas ce qui m'a poussée à te faire lire ce chapitre. Peut-être que je cherchais ta bénédiction ou que tu me consoles ou encore que tu me trouves bonne? C'était plus fort que moi. *Tu étais là, cet après-midi, perdue entre la télé éteinte et le gros fauteuil jaune, à ne pas trop savoir quoi faire, à juste vouloir être avec moi, à tuer du temps avec moi ou plutôt à souhaiter secrètement que je te rassure par ma présence, que je te dise : « Maman, t'en fais pas, je serai toujours là avec toi, je prendrai soin de toi, je t'écouterai m'énumérer tes commissions et tes misères à longueur de journée, je ferai le ménage à ta place afin que tu aies tout ton temps libre pour jouer à la poupée avec tes angoisses. » Ça, tu ne me le demandes pas, mais toutes les cellules de ton corps le réclament, elles me tendent la main comme des S.D.F. et m'écorchent avec leurs ongles fourchus quand je passe trop près de toi. Même si tu ne parles pas, je t'entends tout le temps crier que tu veux ta petite poupoune à tes côtés. C'est étouffant. Tu es un trou sans fond rempli d'inquiétudes, qui a besoin d'être rassuré en permanence. Mais je ne peux rien y faire, je ne sais même pas comment me rassurer moi-même, alors comment veux-tu que je réussisse à le faire avec toi ? Moi aussi, j'ai peur de tout : les maladies, le cancer, les bibites, les étrangers, ce que racontent les autres, les infos, mais je me contrôle, j'essaie de faire une grande fille de moi. Je me construis des parents intérieurs, un train de pères, un paquebot de mères, pour me bercer en tout temps, ainsi je suis à l'abri sur mon matelas parental que je me suis construit pour rebondir. Mais parfois je rebondis si loin que je fais mal aux autres.*

Ça ne t'a pas fait mal de me lire. Je t'ai demandé si tu voulais savoir sur quoi j'écrivais. Tu t'es assise à ma place et après quinze minutes passées à t'expliquer le fonctionnement de la souris, je t'ai laissée plonger dans ma fiction, t'espionnant du coin de l'œil, en faisant mine de lire un livre. Une fois ta lecture terminée, tu as relevé la tête et tu m'as dit que tu n'aimais pas que je parle des cousins et des cousines, des oncles et des tantes qui étaient au salon funéraire quand ta mère est morte. Tu vois, non, plutôt tu ne verras probablement pas, mais je t'ai écoutée, je les ai enlevés. Je pouvais bien faire ça pour toi. Je pouvais bien après tout épargner quelques personnes dans ma campagne de massacres en série. Puis tu es repartie pour un autre round dans ton train-train quotidien, tu as décidé de sortir acheter des pommes parce que je t'avais dit que les grosses pommes du Québec me manquaient. Tu t'es habillée pour sortir, ce qui était une bonne chose. De toute façon, après un certain temps, une tension énorme se crée entre nous quand nous sommes seulement toutes les deux. Je ne sais pas quoi te dire, et toi, quand tu as épuisé le sujet des courses, des blouses et des jupes que tu as vues dans les magasins, de tes achats chez Dollarama ou de tes problèmes de coquerelles ou de santé, tu en viens immanquablement à puiser dans tes hallucinations, mélange de rêve et de réalité : « C'est comme la fois où je me suis fait frapper sur le boulevard de Maisonneuve. Memeille était avec moi… » « Maman, tu ne t'es jamais fait frapper, c'est moi qui ai été chopée trois fois ! » Tu mélanges ta vie et la mienne, et ça, je ne peux plus supporter. J'enrage en silence. Si j'étais Léa, je te foutrais probablement une baffe derrière la tête. C'est habituellement à ce moment-là que tu décides de faire « un p'tit boute ». En tout cas, tu es partie m'acheter des pommes et tu ne m'as plus reparlé du chapitre.

CHAPITRE 2

# La suppliante

*Paris, 18 décembre 1937*
*Gouache et encre de Chine sur bois, 24 cm x 18,5 cm*
*Paris, Musée Picasso*

Tout aurait pu être foutu avec la mort de la grand-mère. Il s'en est fallu de peu que Léa doive laisser tomber sa garçonnière et qu'elle retourne vivre dans le HLM pour s'occuper de sa génitrice du matin au soir. Heureusement, elle arrive à se débrouiller à distance, en s'occupant d'elle par téléphone. Pour elle, il n'est pas question qu'elle revienne patauger dans son passé. Elle a travaillé trop fort afin de s'en tirer, elle n'en veut pour preuve que sa garçonnière qu'elle paye avec son maigre salaire de caissière, sa réussite sociale monumentale. Même si son appartement est petit — si petit qu'il est impossible d'appliquer deux couches de peinture, rigole-t-elle —, elle l'a aménagé comme celui de la toile de Van Gogh : un lit, une chaise, un plancher en bois franc, les mêmes couleurs, les mêmes détails. Son appartement est petit, mais assez grand pour permettre à son imagination de ricocher sur les murs. Léa adore ce lieu, et elle ne veut pas le quitter, laisser tout derrière elle : son appart, ses murs, sa solitude, son temps juste pour elle, surtout si c'est pour prendre soin de sa mère, la materner, lui dire de manger ses légumes verts, de brosser son dentier, de faire son lit… Sa mère, il faut tout lui dire, car c'est un danger privé qui peut cesser de se nourrir, de dormir, laisser l'eau du lavabo couler jusqu'à inonder le monde entier si on ne la surveille pas de près, mais Léa s'arrange quand même pour qu'elle et sa mère fassent maison à part. C'est une question de survie. Autrement, il lui serait impossible de poursuivre son rêve de tableau à n'en plus finir sans se faire déranger toutes les deux minutes.

Depuis la mort de la grand-mère, Léa appelle souvent sa mère pour lui demander comment se déroulent les choses pour elle, si elle a bien mangé, bien dormi, bien éteint la cafetière, des petites choses de base.

— Tout est sous contrôle, Môman?

— Oui, oui!

— T'es sûre, Môman? T'as mangé, tu t'es brossé les cheveux, t'as dormi?

— Tout est sous contrôle… Oui, oui. Fais-toi s'en pas, Léa!

Son nouveau rôle de jeune mère ne sera peut-être pas si prenant, pense-t-elle. Elle pourra continuer d'avoir du temps pour elle afin de se concentrer sur sa future carrière de rock star de la toile, avoir du temps pour comprendre le pouvoir des couleurs les oreilles remplies de musique. Oui, du temps pour elle afin de créer, si Midi et Quart ne l'ennuie pas pour qu'ils fassent quelque chose ensemble. Depuis que ce garçon s'est retrouvé au cœur de sa tragédie, il pense qu'il doit être à ses côtés du matin au soir, il pense qu'elle se sent seule et qu'il doit s'occuper d'elle. Il est donc toujours là à l'appeler pour lui proposer des activités, activités qui consistent à ce qu'il glande chez elle, qu'il mange ses restes de table, parce qu'il n'a pas fait assez d'argent dans la journée avec son squeegee, qu'il regarde son téléviseur quand ce n'est pas sa petite personne, dans l'attente que sa petite personne produise une grande œuvre. Léa en est toute déconcentrée. Elle a beau dire à ce garçon qu'il peut bien venir si ça lui chante, mais qu'il cesse de l'observer comme une bête de zoo! Qu'il ait de l'initiative quand il est chez elle, qu'il lave la vaisselle, balaye, jongle avec des bouteilles vides! Alors, il lave la vaisselle et les carreaux et même son plancher couvert de gouttes de peinture avec son squeegee. Autrement, quand elle est seule, que sa mère est O.K., que Midi et Quart lave des pare-brise au coin des rues, elle a beaucoup de temps pour elle. Beaucoup de temps pour créer! Voilà ce à quoi elle pense, le pinceau en l'air devant sa toile blanche, lorsqu'elle reçoit l'appel des pompiers.

— Des voisins se plaignent de la puanteur qui provient de chez madame votre mère. Et elle ne veut pas nous ouvrir la porte! Alors on vous demande de faire quelque chose au plus vite avant que l'équipe de décontamination s'en mêle!

Léa avale la musique, elle fait taire les couleurs qui la réclament, dépose son pinceau et se rend chez sa mère. Tout ce qu'elle voit lui tord les boyaux, tout est sale : des boîtes vides de pizzas pochettes et de dîners Swanson gisent ici et là, elle espère au moins que sa mère les a fait chauffer ; Léa sait qu'avec sa génitrice, il faut s'attendre à tout, elle peut se gaver de popsicles au steak. Les assiettes en aluminium des repas surgelés traînent sur le comptoir, des fourmis et des mouches se livrent une guerre sans merci pour savoir qui y habitera. Sa mère a dû se nourrir depuis trois jours uniquement de mets congelés. De toute façon, de quoi d'autre aurait-elle pu se nourrir ? Certainement pas du kilo de viande hachée brun et bleu, qui commence à avoir du poil, pense-t-elle. Des bouteilles vides de deux litres de Coke font des farandoles dans le salon, les cendriers débordent comme des containers d'immigrés, parce qu'elle fume, sa mère, comme une machine à boucane. Il paraît que la nicotine est bénéfique pour le bien-être des psychotiques, elle les empêche de trop trembler, de trop s'en faire, d'avaler leur cerveau. Léa ne sait pas si la nicotine a un quelconque effet sur sa mère, elle ne l'a jamais connue autrement que perdue quelque part en elle. Et les poubelles s'accumulent et exhalent une puanteur sans adjectif, et pour aggraver le tout, une poule, oui, une poule caquette et picore les vestiges de repas et des coquerelles. Sa mère a toujours voulu avoir un animal de compagnie, mais de là à avoir une poule, s'étonne Léa. Et à travers toute cette scène surnaturelle, sa mère sourit de tout son être dans ses habits d'enterrement fripés, son visage barbouillé par quelque chose comme du chocolat. Léa espère que c'est du chocolat, parce qu'avec sa mère, il faut se méfier.

Léa prend une profonde inspiration et dit adieu à son scaphandre.

— Môman, je suis là maintenant.

* * *

Ça ne lui a pris que deux heures pour déménager son univers dans celui de sa génitrice. Léa ne possède pas grand-chose : des toiles, des grandes feuilles à dessin, des tubes de peinture à l'huile, des fusains, des livres et des vieux vêtements. Elle était aidée par sa mère qui tenait absolument à ne pas la quitter d'une semelle, craignant sûrement que sa fille change d'idée, qu'elle l'abandonne dans son habitat naturel décoré à coups de carnage et qu'elle finisse avalée par la viande hachée bleu et brun sur le comptoir ou picorée par sa poule. Elle suivait donc Léa, transportant des sacs à ordures remplis de ses effets, en silence, souriant toujours de tout son être, contente de savoir qu'elle ne serait plus jamais seule, que ses trois jours de solitude forcée étaient finis pour de bon, qu'elle avait la remplaçante idéale pour tenir sa garderie.

Tout le long du trajet, Léa était en lutte contre des pensées noires : Comment je vais faire pour peindre alors qu'elle va me déranger ? Comment je vais faire pour sortir les natures vivantes de ma tête qui ne demandent qu'à s'extérioriser ? Et le bleu indigo, est-ce que ça peut faire comme la nuit sur le papier ? Et puis comment je vais faire pour prendre soin d'elle alors que j'ai tellement de difficulté à faire attention à moi, à cesser de fumer, à manger santé ? Comment je vais faire pour m'asseoir sur la rancœur que je nourris contre elle ? Comment je vais me débarrasser de mon enfance coincée dans ma gorge comme un chip avalé de travers et de toutes ces images qui envahissent mes pensées ? Des images de Léa qui crie à sa mère de s'en sortir, de ne pas se laisser terroriser par les démons qui l'habitent, qui lui écrit des lettres d'amour lui témoignant comment gros elle l'aime et lui disant que si elle l'aime elle aussi, elle se comportera comme une vraie maman qui cuisine des rosbifs pour sa fillette. Et les listes de mille recommandations de Léa : « Môman, tu dois manger du brocoli, c'est bon pour ta santé. » Une petite fille de sept ans, en principe, ne dit pas ce genre de choses. Au contraire, le brocoli, elle le hait, elle l'exècre comme son pire ennemi ! Et l'exercice ? « Môman, regarde, faut que tu fasses comme moi, des redressements assis, ça te mettra en forme, ça raffermira tes chairs flasques de femme inerte, qui passe ses journées à se ronger les sangs jusqu'à l'infini devant une télé éteinte ! Viens, Môman, allons nous acheter des habits de sport pareils toutes les deux, comme les couples qui portent des pantalons bouffants à l'effigie du drapeau américain et qui marchent main dans la main dans le Vieux-Montréal ! Viens donc, Môman ! Laisse mémé de côté deux minutes et occupe-toi de moi, de nous ! » Et sa mère qui se laissait tirer la main mollement, ses yeux vitreux qui radiographiaient sa progéniture jusqu'à ce que l'ancêtre débarque avec son torchon à vaisselle dans leurs projets et hurle à la tête de sa petite-fille : « Laisse-la donc tranquille, p'tite morveuse ! » Et toutes ces fois où Léa gribouillait dans ses cahiers, parce qu'elle avait trop de mal à se concentrer à son pupitre, à comprendre ce que la maîtresse montrait au tableau parce que sa mère malade remplissait toutes ses pensées jusqu'à l'étourdissement. Résultat ? Léa a été incapable d'aller loin dans ses études, elle a souffert d'énormes difficultés à entrer en relation ; enfant trop bizarre, et parfois trop extravertie, aimant les autres petits à leur faire mal, les serrant comme s'il s'agissait de chatons. « Tout ça, c'est sa faute à elle. Et voilà que je dois revenir dans mon malheur pour le regarder en pleine face à toutes les secondes de ma vie ; je n'ai pas le choix », enrage Léa.

Son dernier sac à ordures à peine déposé quelque part sur le monument de déchets, le téléphone sonne. Arrêt dans le temps, Léa se fige sur place tout comme sa génitrice à deux pas d'elle, même la poule semble sur pause. Elles sont si peu dérangées dans l'infection que lorsque l'appareil se fait entendre, elles se paralysent, elles essaient de ne pas bouger, de se faire toutes petites comme des souris pour ne pas être mangées toutes crues par le vilain monstre, elles ne savent pas quoi faire avec l'extérieur : répondre ou disparaître. Elles sont ridicules, ridicules dans leur instinct de survie. Léa prend son courage à deux mains et répond. C'est le docteur Robert, le psychiatre de sa mère, il veut à tout prix la rencontrer.

— C'est très important. Vous devez venir avec votre mère demain matin à 9 heures. Vous allez faire ça pour votre maman, hein, Léa ?

« L'enculeur de mouches ! S'il savait tout ce que j'ai déjà fait pour ma mère, que je lui ai donné toutes mes pensées de fillette, toute mon énergie et que ma batterie risque bientôt d'être à plat », pense-t-elle. Quand on regarde Léa, on ne sait pas que son inconscient ressemble à une toile de Picasso, dans sa période sombre. À première vue, ce qu'on remarque, ce sont ses cheveux rouges qui hurlent, sa peau blanche de Blanche-Neige couverte de veines bleues quand il fait froid et sa nervosité maladive qui lui fait dire des tas de niaiseries à tout bout de champ. On ne remarque pas le malheur des gens, sauf quand ils ont des ecchymoses plein la figure ou que leur maison passe au feu juste à temps pour le *Téléjournal*. On ne remarque pas non plus les maux qui empoisonnent la vie. Comme là, Léa a drôlement mal à la main droite. Depuis le décès de sa grand-mère, elle sent une raideur dans sa main. Mais il y a pire que ça, il y a ce retour dans son passé, dans sa chambre qu'elle n'a pas voulu regarder. En entrant dans l'appartement avec sa mère à ses côtés, elle a tenu à ce que les lumières demeurent éteintes, elle affrontera demain ce qui l'attend, pas tout de suite, une nuit de repos au moins, une nuit pour digérer la remise de la clé de sa garçonnière à sa propriétaire, une nuit pour endosser son nouveau rôle de maman à temps plein, une nuit au moins.

En arrivant, sa mère a voulu faire en sorte que sa fille se sente bien, accueillie, chez elle pour toujours, elle a donc sorti à peu près tout ce qu'il y avait dans le frigo : des restes, des restes et des restes. Léa n'a rien mangé, elle a grignoté quelques chips qui traînaient sur la table afin de faire taire les gargouillis dans son ventre. Et elles sont allées se coucher, ce qui heureusement n'a pas été une tâche ardue, sa mère crevait de sommeil. Le temps que sa fille se brosse les dents, elle dormait déjà, yeux et poings fermés, dans le lit de l'aïeule, toujours vêtue de ses habits d'enterrement, sa poule endormie juchée sur la table de chevet. Léa a pris une des mille courtepointes confectionnées par l'ancêtre et elle l'a abriée comme font les parents à leurs enfants dans les films, et elle est allée se coucher à son tour, elle s'est abriée avec son inquiétude.

*   *   *

Le lendemain, c'est la crise parce qu'il n'y a plus de lait, et comme c'est mercredi, la journée des Rice Krispies, sa mère DOIT manger des Rice Krispies. Léa a beau lui dire qu'il n'y en a plus, de lait, qu'elle n'est pas une vache folle qui peut en produire à qui meuh meuh, rien n'y fait, sa mère veut des Rice Krispies, son balancement en avant en arrière en témoigne.

— Je veux des Rice Krispies!

— Môman, on va être en retard et ton psy va nous engueuler! Fais comme moi, mange des toasts!

— Je veux des Rice Krispies!

Léa mange ses toasts, pendant que sa mère fait le métronome détraqué en répétant: « Je veux des Rice Krispies! Je veux des Rice Krispies! Je veux des Rice Krispies! » Elle a envie de lui flanquer une baffe derrière la tête! De lui dire de se comporter comme une femme de son âge! Mais elle se retient, avale ses toasts de travers, s'égratigne l'âme. Elle voit des flammèches partout, la couleur et la douleur de ses pensées se mélangent, forment du fiel toxique, elle va se répandre. Léa se lève et donne un coup de pied dans une chaise! Sa mère la regarde, interloquée, avec sa poule dans ses mains!

— O.K., j'vais aller t'en chercher, du lait!

Le temps qu'elle s'habille, sa mère se plante devant la porte de sa chambre dans son linge tout fripé.

— Je veux y aller avec toi!

— Non, Môman, j'y vais toute seule… Ça prendra moins de temps… Je vais courir. En plus, tu peux pas sortir dans tes habits froissés, tu as l'air d'une robineuse, t'es pas sortable!

— Non, je veux y aller avec toi. Je veux pas rester seule.

— Mais, Môman, je vais courir. Tiens, regarde-moi courir du balcon.

49

Léa tire sa mère par un bras et l'amène sur le balcon. Pendant qu'elle observe un passant, elle en profite pour s'enfuir au dépanneur en face du HLM.

Elle arrive au dépanneur en sueur, se rafraîchit dans le réfrigérateur des produits laitiers. Elle voudrait rester là pour l'éternité. Elle s'imagine déjà en train d'aménager son lit à côté des bouteilles d'Évian et du lait de soya. Quand elle referme la porte vitrée du réfrigérateur, elle voit son reflet : sa mère habillée en rose de la tête aux pieds comme un Teletubbies lui sourit en tenant sa poule dans ses bras. « Il n'y a rien à faire, je ne m'en sortirai pas », fulmine-t-elle. Son karma en rose à plumes sur les talons, elle revient à la maison en bougonnant.

Une fois à la maison, elle sert à sa mère ses Rice Krispies avec beaucoup de lait, il y a comme une envie de noyade dans la pièce.

— Môman, dépêche-toi, on est en retard.

Sa mère mange lentement, presque grain par grain, tout son être est concentré dans son bol, c'est que, d'après une loi divine, elle n'a pas le droit de manger les grains de Rice Krispies cassés, sinon la fin du monde risquerait d'arriver ! Léa tape du pied, des doigts, de la tête sur la table.

— Môman, dépêche, calvaire ! On dirait que tu le fais exprès !

Mais sa mère continue à manger grain par grain en lui arrachant les neurones un par un, et un autre grain et un autre, un vrai supplice. En plus, elle en donne à sa poule, ce qui prend encore plus de temps. Les minutes passent, la mère et la fille sont terriblement en retard. Léa sait que le médecin lui tombera dessus, puisque c'est elle maintenant la responsable des faits et gestes de sa génitrice.

— Là, ça fait ! On y va ou je te mets mon pied au cul !
Elle lui arrache son bol et l'agrippe par le bras. « Viens-
t'en, calvaire ! » Des plumes voltigent dans la pièce.
Léa est en colère de la tête aux pieds. Elle marche fort
dans la rue. Ses talons percent le ciment, détruisent le trottoir, il faudra de grands travaux de réfection pour remettre
la ville en état. Sa mère marche à côté d'elle en silence, la
tête entre les jambes. Chaque fois qu'elle va chez le médecin, elle est comme ça, elle a peur de lui, elle craint qu'il
veuille l'enfermer comme il l'a déjà fait. Aller voir le docteur Robert, c'est comme s'approcher de la chaise élec-
trique, pour elle. Elle avance donc à reculons vers l'hôpital,
à petits pas de souris. Léa la regarde du coin de l'œil, sa
mère est toujours dans ses habits roses de Teletubbies
triste, ses épaules sont recroquevillées sur ses seins, son
visage s'étire vers son nombril. En fait, tout son corps
semble couler vers le sol, à chaque pas, elle semble se liqué-
fier afin de disparaître pour ne pas vivre ce moment tant
redouté.

Dans le bureau du docteur Robert, comme Léa s'y
attendait, c'est elle qui se fait gronder.

— Vous devez être plus responsable que ça, Léa ! Si le
rendez-vous est à 9 heures, il n'est pas à 9 h 15 et encore
moins à 9 h 35 ! Je ne peux pas attendre tout le monde, Léa !
Et il y a d'autres patients qui ont besoin de moi ! Vous le
savez, il y a une pénurie de médecins en région… les com-
pressions dans les programmes sociaux… le virage ambu-
latoire… ma piscine creusée qui n'est pas terminée…

Léa avale tout en silence en serrant les poings, à vrai
dire juste le gauche, car son poignet droit la fait souffrir.
Elle n'arrive plus à bouger les doigts depuis ce matin. Elle

a peur de paralyser, de ne plus jamais pouvoir dessiner, de se retrouver clouée sur un lit avec seulement ses yeux pour engueuler l'humanité. Le docteur Robert la sort de ses pensées en demandant des nouvelles à sa génitrice.

— Comment vivez-vous le décès de votre mère?

Sa mère fixe le plancher. Le docteur Robert répète et répète la question. Après une éternité, elle fait un petit signe des épaules qui indique qu'elle n'a pas le choix. Ainsi va la vie qui va.

— Vous ne voulez pas parler aujourd'hui?

La mère de Léa garde le silence en faisant une moue à la manière d'un enfant qui a gaffé, qui s'est fait prendre les doigts dans le pot de confitures, mais au visage qu'elle fait, Léa sait qu'elle a peur d'ouvrir la bouche, qu'une idiotie s'envole comme un papillon et que son docteur la mette en institution pour trois siècles et demi. Malheureusement, son silence suggère la même chose au docteur Robert, qui se retourne vers Léa.

— Je pense que nous devrions faire interner votre mère! Ne vous en faites pas, elle sera bien… Je connais de bonnes institutions…

Pendant que le docteur Robert poursuit sa tirade, Léa se voit gambader dans le pré de la liberté, sans ses chaînes maternelles, qui la retiennent constamment dans une vie qu'elle ne veut pas et qui la ramènent toujours à son enfance pourrie, qui l'empêchent de voler de ses propres ailes. Oui, sa mère enfermée, ce serait toute une libération. Léa n'aurait plus besoin de s'inquiéter pour sa génitrice. A-t-elle mangé aujourd'hui? A-t-elle pris toutes ses pilules? S'ennuie-t-elle?… Sa mère enfermée, elle pourra vivre, vivre, vivre!

— … Léa, vous m'avez compris ? J'ai besoin de votre signature pour l'internement.

La bouche de Léa s'ouvre, forme un O dans la pièce, elle est sur le point d'être libérée pour de bon, elle doit simplement demander où elle doit signer et le tour est joué. Une eau de joie l'envahit, elle entend même des trompettes ! « Ce ne sera pas si mal, ma mère enfermée, je lui rendrai visite, lui apporterai des fleurs, des chocolats et des oranges. Le dimanche après-midi, on mangera toutes les deux à la cafétéria, avec sa poule s'il le faut, des bâtonnets de poisson qu'elle prendra pour de la saucisse, je la reconduirai à sa chambre et, en marchant, elle me dira : *Oups ! J'ai pété et ça a fait tout mouillé !* On rira de bon cœur, et je la regarderai avec sa poule dans ses bras me faire des bye-bye de sa fenêtre grillagée quand je partirai, tout ça se déroulera dans un nuage de ouate. Et quand je retournerai à la maison, je pourrai dessiner et peindre à n'en plus finir. J'ai déjà des idées, des nus. Oui, pourquoi pas des nus. J'inviterai des garçons à se déshabiller chez moi et je leur peindrai le portrait. Une manière comme une autre d'entrer en relation ! »

Soudain, sa mère cesse de fixer le plancher pour la regarder. Léa la sent tellement triste et sombre que ses habits de Teletubbies semblent passer du rose au noir. Léa voit même sa mère se lever pour la supplier, les bras dans les airs, les mains potelées comme les pattes d'un gros animal, avec un sein qui sort, nu, de ses vêtements, le mamelon qui pointe par terre, le sein avec lequel elle l'a nourrie. Elle s'ébroue. Sa mère n'a pas bougé de son siège, mais elle continue de la fixer. Elle sait que sa mère a compris l'enjeu, ses yeux bleus l'implorent, elle les entend dire : « Léa, ma fille, mon bébé, garde-moi près de toi, je t'en supplie ! Je ne veux pas retourner parmi les autres malades qui me font peur la nuit, qui marchent dans les couloirs sombres comme des fantômes pour s'asseoir au pied de mon lit et me raconter des histoires qui m'empêchent de dormir, je ne veux pas être livrée à eux dans cet univers blanc et gluant, ils hurlent et hurlent si fort qu'on entend encore leurs cris des mois et des mois après qu'ils se sont tus, je veux demeurer avec toi, s'il te plaît, Léa ! Je me ferai toute petite, une minuscule, une microscopique fourmi, je te chatouillerai l'oreille le matin pour te réveiller. Garde-moi avec toi ! »

Les mots coulent de la bouche de Léa, elle n'a pas la maîtrise de sa langue. Et les mots s'envolent dans la pièce, papillonnent dans le bureau.

— Non, docteur Robert, ma mère restera avec moi. Je vous jure que je suis capable de m'en occuper. Je la ramène à la maison.

\* \* \*

Léa et sa mère marchent toutes les deux dans la rue, cette fois-ci, c'est Léa qui fixe le sol pendant que ses pas veulent la ramener en arrière où tout était possible. Tout son être se dissout, des miettes d'elle s'écrasent sur le sol et lui font des bye-bye. Sa mère, elle, marche à une vitesse vertigineuse, elle a hâte de retrouver ses Rice Krispies.

# Troisième lettre

Ce matin, j'ai voulu me faire un café, mais une coquerelle énorme, probablement une femelle sur le point de pondre ses œufs — car quelque chose pendait de son derrière —, courait dans ton percolateur. J'ai pensé à te réveiller pour que tu tues l'intruse, mais je n'ai pas osé. Pas nécessairement parce que tu dormais bien, yeux et poings fermés, avec tes pieds maigres couverts de cors jaunes, qui sortaient de la couverture râpée, mais parce que ton réveil signifie la perte de ma petite liberté dans ton HLM. Le peu de temps que je te vole pour me tourner autour du nombril. J'ai attendu que la coquerelle quitte le percolateur et se réfugie entre le comptoir et la cuisinière. J'ai rincé le récipient avec de l'eau et du savon à vaisselle et me suis fait du café. Je serais prête à manger des vers de terre, des pizzas couvertes d'yeux de crapauds, du lait frappé à la vitre, pour ne pas t'avoir dans mon champ de vision. C'est terrible de penser de telles choses de sa mère et de les écrire. Pourtant, je t'ai déjà dit des monstruosités bien pires. Tu te rappelles cette fois où le gouvernement, avec son article 37, avait passé une loi qui obligeait tous les bénéficiaires de l'aide sociale à réintégrer le marché de l'emploi ? Toi, on t'avait inscrite à des cours, retour sur les bancs d'école pour terminer ton secondaire. À l'annonce de la nouvelle, tu avais rêvassé au sujet de ta vie future, tu terminerais ton secondaire, ensuite pourquoi pas le cégep et l'université ? Sky is the limit. Tu te voyais déjà dans un petit tailleur Sears, secrétaire pour un avocat en vogue, ou encore dessinatrice de robes de princesse. Mais plus le temps passait, plus tes rêves faisaient place à des pensées noires. Tu as commencé à t'inquiéter de tout, du temps à rattraper, des soirées à étudier, des livres à lire, des mathématiques qui te faisaient craindre le pire, des autres qui allaient t'entourer… La veille de ta rentrée scolaire, c'était l'apothéose, tu volais comme une carpe au plafond de la cuisine propulsée par tes inquiétudes : Et si la maîtresse me frappe sur les doigts avec une règle parce que je ne comprends pas l'algèbre, la racine carrée du néant ? Et si, pendant que je suis là-bas, ma mère ne se sent pas bien, crache du sang, vomit ses tripes, qu'elle est prise de convulsions et rend son dernier souffle parce qu'elle s'étouffe avec sa langue ? Et si un homme tente de me violer dans une des toilettes sombres du bâtiment alors que personne ne peut entendre mes cris ? Et si… Et si… Et moi qui ne comprenais pas que tu ne sois pas heureuse d'aller à l'école pour apprendre des choses, alors que les études me changeaient les idées comme un soap à la télé. Fatiguée de tes plaintes, je t'avais dit que tu serais bien mieux morte que vivante. Tu t'étais claquemurée dans ton silence. Et là, la grand-mère en avait profité pour combler ce silence, en m'engueulant royalement parce que je t'avais dit cette chose terrible, elle m'avait crié par la tête que j'étais une nuisance, une nuisance, et que je devais quitter la maison familiale, partir loin d'elle et de toi, que je n'étais là, dans votre vie, que pour vous faire du mal, mes paroles étaient des couteaux prêts à vous hacher, déjà bébé mes cris étaient des canifs qui vous perçaient les tympans, elle aurait dû s'en douter et jeter le bébé avec l'eau du bain, que je n'avais pas ma place ici dans votre maison, que j'étais une dévergondée qui ne faisait que ramener le trouble à la maison, quand ce n'étaient pas des garçons aux cheveux longs, qui vous terrorisaient avec leur regard de voleurs de maigres économies cachées sous les matelas, qu'il faudrait que je parte et que je parte, qu'elle aurait aimé être la Nasa, l'espace d'un moment, pour me projeter en orbite autour de Pluton, non plutôt autour de cette autre planète récemment découverte dont on oublie constamment le nom. Et elle continuait de me poursuivre dans le HLM avec sa bouche ronde comme un canon. Le pire est que c'est toi qui avais pris ma défense, tu avais sauté au cou de ta mère comme une lionne sur une hyène et tu l'avais avertie de ne plus jamais me dire des choses de la sorte, que j'étais ta fille, ta progéniture, la chair de ta chair et que tu m'aimais.

Tu n'as pas fait long feu au centre Gédéon-Ouimet où tu devais finir tes études secondaires. Comme prévu, tu as pris les choses trop au sérieux, faisant des maths jusqu'à pas d'heure, découvrant des racines carrées sur les murs, t'imaginant finalement tous les autres élèves poqués contre toi. Un papier du médecin et c'était fini. De retour à la maison pour de bon, tu t'es enfermée à double tour dans ton HLM et ta mère et toi avez passé plusieurs années à empirer ton bref passage scolaire. Vous avez si bien transformé la réalité qu'à la fin un vieil étudiant sale avait failli te violer, la maîtresse et toi vous étiez battues et on avait tenté de t'enfermer dans un cachot. Les études, ce n'était pas pour toi.

Bordel! Être dans ton HLM fait sortir le méchant. Et il y en a, des kilolitres de méchancetés. Je suis une fille ignoble chez toi, je suis affreuse en ta présence, tu serais mieux de ne jamais te réveiller et de voir mon véritable visage, il n'est pas beau en ce moment. Je suis hideuse, hideuse. Je suis couverte de pustules, j'en ai même sur la langue, dans les paumes, sous les pieds et dans le blanc des yeux, c'est pour cela que l'intérieur de mes yeux est jaune, on dit que c'est parce que j'ai la maladie de Gilbert, mais c'est tout faux, j'ai la maladie de ma mère, tu es entrée en moi un jour où je regardais ailleurs que dans ta direction, tu m'as prise par surprise, ou peut-être était-ce durant une des mille bronchites qui me clouaient sur le lit quand j'étais gamine et que tu m'obligeais à avaler quantité de médicaments? C'était pour m'endormir et en profiter pour m'ouvrir le ventre et te coucher entre mon intestin et mes poumons, c'est pour cela que je respirais avec tant de difficulté. À moins que ces boutons ne soient les résidus de ton passage dans mon corps, tu manges tellement de sucre. D'ailleurs, là tu viens de te réveiller, et tout de suite tu es venue t'asseoir près de moi à la table pour t'empiffrer de gâteaux Vachon à la crème chimique et à la pâte douteuse. Il est 9 heures du matin et tu manges les gâteaux à la crème blanche qui dégouline sur ton menton et tu prends des gorgées de Coke, et un autre gâteau, et une autre gorgée de Coke, et tu me parles la bouche grande ouverte montrant la crème et la pâte, une texture comme du vomi prêt à me sauter à la gorge. D'ailleurs, tu es cette pâte avec des yeux énormes dans la cuisine, ta bouche est une trompe qui aspire tout le sucre qui se trouve devant toi, et quand il n'en reste plus à ta portée, tu cours après moi, dans ton HLM, pour m'aspirer, me prenant sûrement pour un jujube géant. Et tu cours et tu cours et moi, je me heurte partout pour t'éviter, sur les chaises, les lits, les couteaux qui traînent ici et là, et tu jettes avec ta bouche en forme de trompe des splouch de pâte sur les murs, par terre, au plafond, des splouch dans lesquels je finis par me prendre. La pâte coule sur moi, m'empêche de bouger, de respirer, je suis prisonnière debout au milieu de la chambre de ta mère morte dans une pâte brun pâle, et tu danses autour de moi, te régalant d'avance de ton futur festin.

Je te dis de t'essuyer la bouche, tu as de la crème jusqu'au milieu du front, dans les cheveux, la crème coule de toi, se répand par terre, forme une flaque énorme, se solidifie, se transforme en ciment, je suis prise au piège sur ma chaise, jamais plus je ne pourrai te quitter, tu me nourriras à la petite cuillère, ramasseras les dégâts sous moi comme quand j'étais bébé et que j'étais à ta merci. Tu t'essuies et tu souris. Tu me déverses ensuite ton fleuve de questions : est-ce que je reste avec toi aujourd'hui ? Est-ce que je dînerai et souperai avec toi ? Qu'est-ce que je souhaite manger ? Qu'est-ce qui me ferait plaisir ? Il faut que ce soient des choses simples, pas compliquées à réaliser, et sans pain dur à mâcher non plus, car tu as mal aux gencives, ton dentier te fait souffrir le martyre, il creuse des tranchées dans tes gencives, il te fait des trous dans la tête comme un gruyère. Je te dis d'aller voir le dentiste, de ne plus endurer ça, mais comme d'habitude, tu me dis que tu n'as pas le temps, que tu ne peux pas sortir de la maison, tout à coup que j'ai besoin de toi, tout à coup qu'un vendeur, un voleur, un tueur se présente à ta porte et *que tu ne sois pas là pour te faire attaquer, que se passera-t-il ? Tu es comme un capitaine de bateau et tu dois demeurer au poste au cas où un iceberg se profilerait à l'horizon. Si tu sors et que tu aies la diarrhée, que tu ne puisses plus te retenir, que tes tripes te fassent si mal que tu doives relâcher tes trente-deux sphincters, te libérer de toute cette crème chimique avalée, entre deux voitures dans la rue Saint-Denis, qu'est-ce que les badauds penseront de toi ? Et si jamais tu sors et que je sois bien en ton absence, qu'est-ce que tu deviendras ? Tu restes donc dans ton HLM. Tu as un emploi du temps chargé, tes angoisses sont des travailleuses acharnées.*

*Non, je ne dînerai ni ne souperai avec toi. Je te laisserai seule dans ton HLM et j'irai au resto d'à côté pour ne pas voir l'intérieur de ta bouche quand tu manges, pour ne pas voir ce que tes dentiers font de la nourriture. Si tu fais exprès de manger la bouche ouverte depuis toujours, c'est pour me montrer ce que tu souhaites faire avec moi un jour.*

*En fait, tu n'es pas une énorme pâte, tu es plutôt une coquerelle géante qui essaie de sucer mon sucre pour te nourrir afin de te multiplier, c'est pour cela qu'il y a toujours eu des coquerelles dans notre vie, elles sont mes petites sœurs, nous sommes du même sang, elles et moi, elles sortent de ton ventre elles aussi. Et dire que je les ai toujours reniées comme on renie un membre de la famille, informe, qui bave partout quand il tente de parler, une paraplégique qui s'agite sur son fauteuil roulant parce qu'elle a fait sous elle, un oncle sourd qui veut quand même nous raconter son enfance alors qu'on ne comprend pas ce qu'il dit, sa bouche n'adopte pas la bonne forme des mots, sa langue est lourde comme un paquebot. J'aurais dû dire oui à ton psychiatre la fois où il nous a fait* venir toutes les deux dans son bureau afin qu'on prenne une décision éclairée, lui et moi, concernant ton avenir. Devait-on t'interner ou pas ? J'aurais dû répondre oui, mais je n'ai pas pu. Les fois où tu t'es faufilée en moi, pendant que j'avais le dos tourné ou que j'étais trop petite pour me protéger, ont laissé des séquelles : tu réponds à ma place parfois.

# CHAPITRE 3

# La crucifixion

*Paris, 7 juillet 1930*
*Huile sur contreplaqué, 51,5 cm x 66,5 cm*
*Paris, Musée Picasso*

Le HLM. Léa et sa mère demeurent dans une infection située au septième étage d'un édifice à coquerelles. Même si elles habitent à cet étage, ce n'est pas le septième ciel, Léa le constate encore plus depuis qu'elle est retournée vivre dans l'appartement familial. C'est pire que pire! Pire à la puissance mille! pense-t-elle quand elle sort de l'ascenseur pour se rendre au 7071. Elle traverse un long couloir où l'odeur de cuisson des autres appartements l'agresse à tous coups, comme si partout en même temps dans l'édifice on s'acharnait à cuisiner du ragoût de vomi. Lorsqu'elle arrive enfin au 7071, elle a le cœur dans les joues et la langue dans le vinaigre. Elle revient d'une promenade nocturne et elle craint que sa mère ait fait une connerie de manière qu'elle se sente coupable jusqu'aux os, qu'elle se transforme en infection comme l'appartement où elle et sa mère habitent.

Au 7071, tout est minable. La grand-mère ne voulait pas qu'elles achètent des meubles, « Faut pas encourager le maudit système capitaliste qui exploite les pôvres p'tits enfants du Tiers-Monde! » s'écriait la mémé. Léa et sa mère vivent dans des boîtes en carton comme de pôvres p'tits enfants du Tiers-Monde. Elles n'ont que des vieilles choses : un fauteuil défraîchi qui a tout d'une centrifugeuse, une table et des chaises qui tiennent à peine debout, un téléviseur qui remonte à la préhistoire, un vieux tourne-disque, des lampes avec des abat-jour recouverts de poussière, et leurs chambres… Deux trous à rats avec des lits simples, presque des lits de camp en temps de guerre, recouverts de vieilles courtepointes toutes rapiécées par la grand-mère. Et en guise de commode, des boîtes en carton pour ranger les vêtements, des boîtes en carton qui produisent des coquerelles comme des manufactures, chacune son HLM ! Et dans ce bazar apocalyptique, il y a sa mère qui se balade du matin au soir en se frottant les mains l'une contre l'autre, les yeux hagards, le visage livide, suivie d'une poule qui perd ses plumes. C'est à devenir dingue, se dit Léa.

Pourtant le décor ne semble pas affecter sa mère. Elle va et vient à travers cette désolation en blablatant toute seule avec sa tumeur plumée. Parfois, elle cesse sa visite des lieux, se pétrifie, son motton de plumes fait pareil, et fixe son attention sur quelque chose d'incroyablement ordinaire : une bouteille, un mouchoir de papier, un bouchon qui traîne par terre comme si c'était l'événement de l'année qui l'empêchait de circuler, qui empêchait son temps de s'écouler poussivement. Quand Léa assiste à ça, elle s'énerve. Elle se transforme en gyrophare. Elle lui crie dans les oreilles, dans les yeux, dans les cheveux. Elle lui hurle par la tête qu'elle n'a qu'à contourner la tasse, la chaise ou le cheveu, que ça ne va pas lui sauter dans la figure, que ce n'est pas un ours ni un psychopathe, mais un objet, une niaiserie ! Et elle hurle et elle hurle à s'en fendre l'âme, comme hier. Léa a piqué une crise parce que sa mère n'arrêtait pas de la déranger, de cogner à la porte de son trou à rats pour voir ce qu'elle bricolait.

— Euh... Léa... Léa... J'peux-tu entrer?

— Non!

Elle voulait toujours être à côté de sa fille, debout derrière son épaule pour la regarder réfléchir à sa future toile devant son chevalet et à sa feuille de papier trop blanche, et ça l'énervait.

— Léa... euh... Léa... J'peux-tu entrer?

— NOOOOOON!

Probablement parce que ça fait trois semaines que Léa occupe à plein temps sa nouvelle fonction de maman, la pression était trop forte, elle n'a pas pu se retenir, elle a explosé et elle s'est répandue sur sa mère comme la lave du Vésuve. La poule est partie en criant avec des idées de tronçonneuse dans la tête. Mais sa mère est restée sur place, tétanisée. Elle regardait sa fille avec ses grands yeux de chien husky, qui plissent légèrement en pleine tempête au pôle Nord, et elle lui a souri. Elle n'aime pas quand sa fille est en colère, ça la met mal à l'aise. Elle a donc essayé de trouver un sujet de conversation qui la ferait dépomper, descendre de ses grands chevaux au galop, mais elle a empiré son cas en proférant des débilités profondes qui font dresser les cheveux de sa fille.

— La voisine d'en face portait un chandail rouge aujourd'hui, ça lui donnait des gros jos! Il faut pas le répéter à personne!

— Le répéter à quelqu'un! On est pratiquement seules au monde! On est isolées comme des bateaux cimentés en plein milieu de l'océan Pacifique! hurle-t-elle.

Léa lui aurait foutu un coup de pied au derrière, à sa mère, pour l'arracher à sa folie si ça pouvait aider, mais bon, il n'y a rien qui fasse, alors pour reprendre de l'assiette, elle est sortie.

Du temps que l'ancêtre vivait, Léa pouvait s'enfermer dans son trou à rats pour penser à sa future carrière de reine du tableau, et travailler à son avenir, faire des tas de dessins, reproduire tout ce qu'il y avait autour d'elle : le vieux lit de camp, la porte en face de son lit, les coquerelles mortes, la fenêtre avec son temps gris. Elle était bonne dans les natures mortes et elle en faisait de la reproduction en série. Et ce n'est pas parce qu'elle n'a que vingt-trois ans et qu'elle ne va pas dans une quelconque école d'art qu'elle est une cruche finie ! « Je suis une autodidacte, moi ! J'apprends par moi-même, moi ! Et pour devenir une grande peintre, l'école ne sert à rien. Picasso n'a pas été à l'UQAM, à ce que je sache ! » voilà ce qu'elle s'est toujours dit.

Barricadée dans sa chambre, Léa dessine, mais pas encore le monde qu'il y a dans sa tête, elle a peur de le jeter sur papier et qu'il prenne vie, elle a le dessin violent. Quand elle ne dessine pas, elle parle au téléphone, non pas avec des amis, elle n'a pas d'amis, elle exècre l'amitié, elle lui crache dessus, à l'amitié. Son ancêtre l'a élevée en lui répétant : « C'est parmi tes amis que tu rencontres tes pires ennemis », alors Léa ne prend pas de risque, pas d'amis dans son entourage. De toute façon, qu'est-ce qu'elle pourrait faire avec eux ? Aller dans les bars ? Elle ne boit pas ou si peu ! Du magasinage entre copines ? On repassera, sa mère est sur le filet social. Quant à elle, son petit salaire de caissière, c'est loin d'être le Pérou. Mais un jour, elle sera riche ; ses toiles transformeront ses origines pathologiques, ça, elle en est certaine. En attendant, pour se changer les idées, elle prend les *Pages blanches* et elle appelle au hasard.

Elle pourrait téléphoner à Midi et Quart qui la suit comme un caniche, mais non. Elle a l'impression qu'il se trémousse comme un caniche quand il la voit. Et quand elle lui parle, on dirait qu'il lèche ses phrases, ça, c'est quand il ne les répète pas. Tout chez lui l'énerve, en commençant par son allure, Léa trouve qu'il s'habille comme un va-nu-pieds. En plus, il n'a pas d'argent. Quand il va au Wal-Mart où elle travaille, ce n'est pas pour acheter quoi que ce soit, c'est pour la regarder, l'espionner. Il est toujours là, pas trop loin, à passer devant la maison, à attendre qu'elle sorte du Wal-Mart. D'ailleurs, afin d'être sûr de ne jamais la rater au cas où elle s'aventurerait à l'extérieur, il s'est installé au coin de la rue où elle habite pour laver des pare-brise, c'est ce qu'il fait pour gagner sa vie depuis qu'il a quitté sa Gaspésie natale et qu'il est arrivé dans la grande métropole! Quand Léa sort, il est immanquablement là à lui sourire, à lui demander comment ça va, si elle a bien dormi, bien mangé, si elle veut aller prendre un café, un sandwich, un bol de soupe tonkinoise, un bol d'air! Il l'énerve! Léa se demande pourquoi il ne comprend pas qu'elle est vouée à un grand avenir, à de grandes réussites et qu'elle ne peut pas entreprendre une quelconque relation avec un squeegee. «Une peintre doit se garder pour un homme fantastique, magnifique, plein de culture et de fric, qui saura l'encourager, l'habiller, la nourrir, la blanchir, la repasser! Une peintre ne peut pas entreprendre une relation sérieuse avec un laveur de pare-brise, ça ne s'est jamais vu!» Voilà ce qu'elle se dit quand elle pense à Midi et Quart. Alors elle préfère ne pas entretenir de lien avec lui. Même si c'est le meilleur des garçons, elle l'évite en regardant ailleurs quand elle sort, préférant communiquer avec d'autres personnes à travers les *Pages blanches*.

La première fois qu'elle s'est servie des *Pages blanches*, c'était pour trouver quelqu'un qui lui donnerait la recette du pain doré. Elle a regardé un nom qui lui paraissait sympathique : genre Robert Robidoux. C'est un nom qui ne ferait pas de mal à une mouche, on ne voit pas un tueur en série s'appeler Robert Robidoux, a-t-elle songé. Elle a donc composé le numéro et elle a demandé à Robert Robidoux comment on faisait du pain doré. Robert Robidoux lui a donné la recette et lui a demandé s'ils se connaissaient, elle lui a répondu non. Depuis, elle continue de se servir des *Pages blanches* quand elle a envie de parler. Parfois, elle tombe sur des imbéciles, des fous furieux, qui lui disent des cochoncetés. Ou encore des hystériques qui gueulent qu'elles ne veulent être abonnées à rien. Sinon, dans la majorité des cas, ça baigne dans l'huile, ce qui change de sa vie habituelle, qui baigne dans les pilules de sa mère qui, espère-t-elle, ne les a pas toutes gobées pour l'embêter.

Du temps que l'ancêtre vivait, c'était plus facile pour elle de rêver à sa future carrière ou de sortir la nuit pour parcourir les rues de Montréal sans trop se soucier de ses préoccupations d'adulte. Mais là, c'est différent. C'est elle qui a la gouverne du bateau débile, qui doit ramer dans la vie pour s'assurer que sa mère et elles sont à flot. « Je n'ai jamais suivi de cours prénatals, je ne sais même pas comment faire chauffer un biberon à la bonne température, pourtant, c'est moi qui m'occupe de ma mère non-stop. Je suis une maman sans couche, et j'ai la tête pleine de merde ! »

Chaque fois qu'elle retourne à la maison, quand elle rentre du Wal-Mart ou d'une balade nocturne comme hier, elle a une barre de fer qui lui transperce l'estomac et qui fait en sorte qu'elle marche à reculons. Elle a toujours peur que quelque chose d'horrible soit arrivé, que sa mère ait bu du Lestoil, sniffé du Ajax ou qu'elle ait été avalée par une ambulance, qu'elle ait oublié de retirer les frites du feu qu'elle se fait régulièrement à trois heures du matin, car elle adore les frites, et surtout la nuit tombée avec beaucoup de sel. Là, Léa a encore cette maudite barre de fer dans l'estomac, et en plus elle est épuisée. Elle a passé la nuit à errer dans les rues de Montréal. Elle s'est toutefois assurée avant de sortir que sa mère dormait. Car il arrive qu'elle lui joue des tours, qu'elle fasse mine de dormir. Mais là, Léa n'a couru aucun risque, elle avait trop besoin de prendre l'air hier, d'oublier son univers aussi triste qu'un aquarium dans un restaurant chinois, et de ramener des images pour ses futures toiles. Or, elle s'est oubliée d'aplomb. Question d'aller le plus loin qu'elle le pouvait dans les tréfonds de la ville, dans les endroits industriels, elle a accepté que Midi et Quart l'accompagne, il était tellement content qu'il en a presque fait trois bonds en arrière. Il a été gentil, il a simplement marché avec elle, sans dire un mot. Léa ne sait même pas exactement où ils sont allés, dans des endroits désaffectés, il lui semble avoir vu un attroupement de punks tout de blanc vêtus, qui mimaient une étrange séance. Comme s'ils opéraient un des leurs, elle ne sait plus, par contre, elle se rappelle sa responsabilité : sa mère. Elle a la trouille de rentrer chez elle, elle souhaite de tout cœur que sa génitrice n'ait pas fait de bêtises, qu'elle ne se soit pas prise pour un oiseau et n'ait pas sauté en bas de l'infection.

Elle approche du 7071, en se tenant après les murs comme si elle était dans un navire en pleine tempête, elle passe devant les millions d'apparts qui sentent le vomi à plein nez. La porte n'est pas verrouillée. Elle entre. Tout semble en ordre. La poule se balade en mangeant des coquerelles par terre, il n'y a pas d'odeur de frites brûlées, pas de traces de sang sur les murs. Tout est comme d'habitude : tout croche.

— Môman !

Silence. Tout à coup qu'elle s'est réveillée cette nuit et que voyant que je n'étais pas là, elle a paniqué, qu'elle est sortie et qu'elle s'est fait attaquer par un maniaque à la tronçonneuse ! pense Léa.

— Môman !

À moins qu'elle se soit vraiment jetée en bas du balcon, prenant sa robe de chambre pour des ailes, panique-t-elle.

— Môman ! Môman !

Des décharges électriques transpercent sa tête, parcourent son dos, ses mains sont moites, une crise cardiaque au bord des lèvres, sa mère ne répond pas. Toutefois, Léa entend du bruit provenant de sa chambre. Elle s'y précipite pour découvrir un désastre : sa mère a mis son trou à rats sens dessus dessous. Tous ses cahiers sont ouverts. Son chevalet blanc, ses toiles, ses gouaches, ses aquarelles et ses pinceaux sont répandus par terre, un jardin de désolation.

Premier choc : sa mère est à quatre pattes à côté de son lit et elle essaie d'ouvrir une petite boîte décorative en métal. Elle force et force comme une défoncée qui cherche son fix.

— Qu'est-ce qu'il y a, Môman ? Qu'est-ce qu'il y a ?

— J'veux ouvrir la boîte, c'est important…

— Mais pourquoi, Môman ?

— Où t'as mis l'œil de ta grand-mère, Léa ? Hein ? Où t'as mis l'œil de ta grand-mère ? C'est toi qui l'as, je le sais ! Chaque fois que Léa voit sa mère ainsi, l'impuissance lui scie les bras et les jambes. Parfois, elle a l'impression que sa mère est normale comme toutes les autres mamans, qu'elle s'en est sortie durant la nuit, après un bon gros dodo réparateur, mais la réalité n'est jamais très loin pour lui sauter à la gorge.

— L'œil de mémé !

Elle enrage, elle est rouge de colère et d'impuissance. Elle aurait envie de jeter sa mère en bas du HLM. « Et qu'elle vole donc en robe de chambre dans le ciel ! »

— Môman ! Sors de ma chambre ! J'ai pas l'œil de mémé !

Sa mère la radiographie comme si elle voyait à l'intérieur d'elle et que c'était le vide, elle est un fantôme pour sa mère et elle déteste ça.

— Môman ! Sors de ma chambre !

Sa mère ne bouge pas, s'entête à lui faire face. Léa a envie de l'étriper. Devant son obstination à l'embêter, sa main part toute seule, paf ! derrière la tête. Trop tard. Léa aurait aimé être capable de tourner sept fois son bras dans sa bouche avant de passer à l'action, mais ses nerfs aussi ont leurs limites, mais pas sa culpabilité, elle s'en voudra encore une fois de plus pour cent ans.

— Môman, sors de ma chambre ou c'est moi qui vais te sortir !

Elle ne bronche pas. Léa s'énerve encore plus.

— Môman, sors de ma chambre, maudit !

73

Elle ne bouge pas. Léa l'accroche par un bras et l'amène de force dans sa chambre à elle. Une fois dans le trou à rats de sa mère, elle ouvre la maudite boîte décorative pour lui mettre son contenu sous le nez, pour lui montrer qu'il n'y a pas l'œil, ni l'oreille, ni le pancréas de l'ancêtre dans la petite boîte, qu'il n'y a que des niaiseries dedans, des trombones, des bouts de gomme à effacer, un petit miroir en forme de cœur brisé.

Sa mère sourit, elle est contente. Elle se berce au pied de son lit comme une petite fille, elle a déjà tout oublié, oublié pourquoi elle voulait tant ouvrir la boîte, oublié ce qui vient de se passer, mais Léa reste avec le souvenir pris dans la gorge, les remords et l'envie d'en finir avec sa maudite vie, surtout à cause de son deuxième choc.

Sa mère a fait un dessin sur le mur de sa chambre. Elle a pris une photo de sa fille et l'a dessinée. Ses yeux qu'on dit si profonds, difficiles à soutenir, qui font presque peur tellement ils sont marqués au fer de la misère, sont bien là sur le mur tout comme ses cheveux rouge feu. Ses yeux et ses cheveux et le reste, le corps, les mains, les jambes se retrouvent dans un dessin aussi naïf que celui d'un enfant. La profondeur du malheur dans un bonhomme allumette crucifié. Le dessin fait mal à Léa. Sa mère a du talent. Son dessin remue tout en elle. Ses viscères, ses omoplates, ses chevilles, tout se mélange, elle a de la misère à respirer, d'autant plus qu'en bas du dessin il est écrit : « À ma fille Léa que j'aime. »

# Quatrième lettre

Dire que tu m'as fait ce coup-là, chercher l'œil de la grand-mère dans une petite boîte décorative, alors que toute la journée tu avais été bien, ton comportement était celui d'une personne normale. Je venais de déménager dans un petit studio, mon premier appart juste à moi. Tu avais tenu à venir m'aider, alors comme activité, je t'avais dit de laver la vaisselle. Toute la journée, tu souriais, contente de passer une journée dans la vie de ta fille. Mais lorsqu'à 21 heures je t'avais dit que j'étais fatiguée, que je souhaitais me coucher, tu avais dit que tu voulais dormir chez moi, dans mon lit avec moi. Je t'avais dit non, que j'allais te payer un taxi pour t'en retourner, et c'est à ce moment-là, alors que j'appelais le taxi, que je t'avais vue forcer pour ouvrir le couvercle d'une petite boîte décorative, forcer et forcer, car tu étais convaincue que j'avais caché l'œil de mémé. Quelquefois j'ai envie de te noyer dans mes souvenirs, mais comme ils ne sont composés pratiquement que de toi, tu y nagerais comme un poisson dans l'eau. C'est à cause de ces souvenirs et parce que je te porte, maman, que j'ai décidé de ne jamais avoir d'enfant. Et je t'en veux pour ça, oh oui! Si tu savais comme je t'en veux, tu te cacherais en dessous de ton lit, tu porterais la burka, tu prendrais rendez-vous pour une chirurgie plastique, tu changerais d'identité et de sexe, tu serais Viggor Hemrick et tu demeurerais dans une rue grise quelque part en Pologne avec ta femme et tes quatre enfants dont trois trisomiques. Jamais je ne connaîtrai cette joie ou cette peine de voir ma progéniture courir vers moi, les doigts dans les airs, couverts de caca, en criant: Maman! Et je me suis bâti tout un discours pour fermer le clapet à tous ceux qui veulent savoir pourquoi mon utérus est placardé. Je prétexte que je ne veux pas avoir d'enfant parce que je voyage trop, parce qu'un bébé, une poussette, un biberon, c'est encombrant dans un TGV, que mon métier d'écrivaine-journaliste-scénariste est incertain, qu'il ressemble à des montagnes russes, alors qu'il n'y a presque que des hauts depuis plusieurs années, que j'ai peur d'enfanter un petit fou, parce que ta maladie et celle de la grand-mère rôdent dans mes veines, parce que je n'ai pas foi en l'humanité, en mon prochain, parce que dans une quinzaine d'années, il y aura peut-être le début d'une guerre civile concernant le pétrole qui se fera de plus en plus rare et on vivra dans une noirceur terrible, des gens boiront l'essence à même les pistolets des stations-services afin de faire fonctionner leur cuisinière pour nourrir leur famille, ils en auront les dents noires et le foie encrassé, ils mourront pétrifiés dans les rues, les lèvres noires, dans des poses incongrues. Je dis aussi que j'ai peur d'être fécondée et de voir mon corps ressembler à celui d'une tortue, mais la carapace sur l'abdomen, *que mon ventre prenne des proportions gigantesques et qu'une fois sur le dos je ne parvienne plus à me relever, ou encore que le petit naisse mongol, débile, attardé, avec un bras dans le front parce que je prends des pilules pour le cerveau, moi aussi, et qu'on ne connaît pas les risques tératogènes pour le fœtus d'une grossesse sous ces médicaments, parce que je ne parviens pas à cesser de boire et de fumer, parce que je n'ai pas l'instinct maternel d'une chatte, ni même d'une puce. Des excuses de la sorte, je peux en sortir à profusion alors que je connais la véritable raison : toi, toi, toi et toi. C'est toi, maman, qui es responsable de ma stérilité mentale. C'est aussi pour cela que je me vide le cœur sur mon iBook. Peut-être que si je parviens à te sortir de moi, il y aura assez d'espace en moi pour que mon mari m'asperge les ovaires ? Mais pour l'instant, c'est impossible, tu formes une glaire opaque et impénétrable qui bouche le col de mon utérus, tu joues à la balle avec mes ovaires contre les murs, tu détournes mes trompes de Fallope comme les rails d'un train miniature. À vrai dire, ce n'est pas que je ne puisse pas me faire engrosser, ça oui, j'en suis capable, deux avortements le prouvent. Mon premier à dix-neuf ans, je ne pouvais pas avoir l'enfant d'un schizophrène junky, tu imagines la petite bête qui serait sortie de moi ? Mais la dernière fois, il y a deux ans, l'enfant, je le voulais et mon mari aussi. Il en pleurait de joie. Il appelait ses amis les uns après les autres en leur racontant l'heureux événement, et chaque fois il versait des larmes, même que son père avait pleuré avec lui au téléphone, content que la lignée des Danielis se perpétue. Et tout le monde se réjouissait de la nouvelle, on nous invitait à souper, on nous demandait comment on allait le ou la prénommer, Bérénice, Adam, Blixa, Bilal, Marianne comme l'ancêtre, mais une fois la surprise de la venue de la cigogne passée, la panique, je me suis vue dans la cuisine sans le sou avec un petit qui me tire les cheveux pour manger, qui me pique des crises au centre commercial pour avoir le dernier jouet laid, mais à la mode de Mattel, un petit qui mange le cordon ombilical, et tout l'intérieur de mon ventre pour prendre ma place. Déjà à sept semaines, je le ressentais comme une menace terroriste. À cause de lui, je ne buvais plus, je ne fumais plus, je ne mangeais plus de sushis, je réduisais ma consommation de café. Et on me le rappelait toutes les deux minutes, pas plus de deux tasses de café, pas d'alcool, pas de cigarette. Je ne m'appartenais plus, j'étais la chose de quelqu'un d'autre comme j'ai toujours été ta petite chose. Pourtant, de m'avoir dans ton ventre, ça ne t'a pas empêchée de manger tes pilules comme du pop-corn et de fumer clope par-dessus clope. Ça ne t'a pas causé de problème de conscience de ne jamais passer de test pendant que tu m'attendais afin de savoir si je n'étais pas attardée, mal faite, avec une tête d'âne. Et quand tu m'as eue, tu ne t'es pas souciée de me faire donner les mille et un vaccins que tout enfant normal doit recevoir. Je n'ai jamais été vaccinée, j'aurais pu mourir de tout durant toute mon enfance. D'ailleurs, j'ai bien failli y passer quand j'avais cinq ans, choc anaphylactique. Tu m'as quand même gardée à la maison, alors que j'étais gonflée comme un petit bouddha. Et le lendemain, quand tu m'as enfin emmenée à la clinique et qu'à l'aide d'une piqûre on a tenté de me faire reprendre ma forme initiale, tu n'as pas écouté les recommandations du médecin qui te disait que je ne devais plus manger de pétoncles, de beurre d'arachide, de kiwis, de fruits de mer, de noix de Grenoble et peut-être même d'œufs. Non, nous sommes retournées à la maison et tu as tout oublié, mettant la faute de ma réaction allergique sur le dos d'un chat sale qui traînait dans la cour chez la grand-mère. J'ai passé une partie de ma vie à la risquer, en mangeant ce que je voulais jusqu'à ce que mes allergies refassent surface dangereusement à vingt-deux ans : urticaire d'hiver, choc ana, asthme dernier niveau, allergique à tout, kiwis, noix, amandes, pinottes, laine, poils d'animaux, acariens, pollen, plumes de canard et même aux contacts humains trop intimes. Mon premier divorce. Et une autre grosse crise allergique avec toi au pied de ma civière alors que cinq infirmières s'affairaient autour de moi, à me masser parce que j'étais en chute hypothermique, tu assistais à tout, et il n'était pas question que tu me quittes, même si je te suppliais de me laisser dormir, car il m'a toujours été impossible de sombrer dans le sommeil sachant tes yeux braqués sur moi, et qu'en un instant de folie tu pourrais me découper avec un scalpel.*

*Ça me fait mal de te parler ainsi, de te dire tout ça alors que tu n'es pas entièrement responsable selon tous ceux qui m'entourent. Mais j'ai beau me donner des coups sur la tête, en répétant : c'est ta maladie, c'est ta maladie, c'est ta maladie, ça ne veut pas rentrer. Je te veux coupable de laisser la porte ouverte à ta folie, de bien vouloir la laisser te rendre visite quand le temps ne passe pas assez vite. Il y en a qui sont affligés des mêmes déficiences neuronales que toi et qui mènent des carrières de front, gèrent des armées d'employés, fondent des empires. Mais toi, tu as dit non à tout. Tu as même commencé à dire non en sixième année, en te faisant passer pour malade : consomption, rubéole, picote, tout pour ne pas aller à l'école et affronter l'extérieur. Non, toi, tu voulais rester dans les jupes de ta mère. Déjà à cet âge,* tu préparais mon calvaire, tu t'exerçais à me mener la vie dure, à me rendre responsable de ton ennui chronique. À onze ans, quand tu disais à ta mère de te porter malade, car tu étais trop paresseuse pour te rendre à l'école, c'était à moi que tu faisais un coup pendable.

# CHAPITRE 4

## Femme assise

*Paris, 27 avril 1938*
*Gouache, crayon de couleur et encre sur papier,*
*76,5 cm x 55 cm*
*Bâle, fondation Beyeler*

Ça fait un mois que la grand-mère repose au cimetière. Trente jours que cela est arrivé, que Léa a marché avec sa mère, la poule et Midi et Quart sur les petits sentiers du cimetière Urgel Bourgie avec les cendres dans les mains, un petit paquet de rien du tout, avec quelques restes d'os qui faisaient flic floc contre les parois métalliques. À ce moment-là, il faisait encore soleil, mais là, c'est l'hiver. Léa est frigorifiée. Les gens entrent dans le McDo et en sortent, laissant passer le moins 8 degrés qui s'accroche à son dos comme les griffes d'un chat effrayé par le bruit d'un aspirateur. Elle est assise dans l'entrée et elle regarde sa mère et Midi et Quart manger leur trio McCroquettes. Elle se demande c'est comment dans la tête de sa mère. Est-ce qu'elle voit la vie comme à travers un kaléidoscope? Est-ce qu'il y a des êtres surnaturels qui lui parlent en permanence? Mais en même temps, elle ne veut pas le savoir. Tout chez sa mère l'agace. Quand elle la regarde trop longtemps, elle aurait presque envie de s'extirper les yeux pour les lui balancer. Sa mère l'énerve. Sa mère si minuscule sur le gros banc jaune, une petite fille avec des rides qui s'empiffre de frites McDo. La bouche grande ouverte, elle mange et mange les frites. Ses mains tremblotantes à cause des montagnes de pilules qu'elle gobe plongent dans le carton de frites quand elles ne s'agrippent pas à son gros Coke qui lui donne le hoquet. Elle boit trop vite. Sa mère porte des lunettes à double fond qui donnent l'impression qu'elle habite dans le palais des miroirs à la Ronde. Ses yeux bleus s'égarent partout dans le restaurant puis s'arrêtent pour fixer trop longtemps le trio de jeunes rappeurs assis à côté d'elles, qui pourraient finir par s'énerver, craint Léa. Sa mère cesse de les fixer lorsque ses mains tremblantes ne trouvent plus de frites dans le carton de frites. Léa ne mange pas, elle n'a pas faim.

— Il va falloir qu'on t'occupe, Môman.

— Oui, il va falloir qu'on vous occupe, renchérit Midi et Quart.

Léa lui lance un regard lourd de sous-entendus, « c'est moi qui l'occupe, mêle-toi de tes affaires ! » Midi et Quart avale son morceau de poulet.

— Oui, Môman, il va falloir qu'on te sorte de tes vieilles habitudes pour que je retourne chez Wal-Mart travailler avant que le bouledogue me mette à la porte ! Adieu veau, vache, cochon !

Entre deux hoquets, sa mère s'étonne.

— Quoi ? T'avais acheté des animaux ?

Ça ne sera pas facile, se dit Léa. Elles sont seules au monde. L'ancêtre en a mis du temps à crever. Le cancer la grugeait depuis plusieurs années, mais elle le combattait, non pas en gobant des médicaments, ça non, elle n'y croyait pas, mais en faisant comme si de rien n'était, comme si les maux de ventre qui la pliaient en deux n'étaient pas plus importants qu'une chiasse, comme si tous ses membres qui maigrissaient au point de prendre la forme de spaghettis trop cuits, ce n'était qu'une illusion d'optique, et que son ventre qui gonflait de jour en jour jusqu'à lui donner l'allure d'une femme enceinte de quatre-vingt-sept ans, ça aussi, ça n'existait pas. D'ailleurs, les mois qui ont précédé sa mort, on aurait presque juré qu'elle allait accoucher d'elle-même : une nouvelle mémé, toute fraîche, prête pour affronter la vie avec son torchon à vaisselle, et tout à fait d'aplomb pour prendre soin de sa fille. Elle a donc été des années à continuer son petit bonhomme de chemin, sans jamais se plaindre : laver la vaisselle, le plancher, faire la lessive et sa petite promenade quotidienne autour du HLM, poser des questions aux voisins et finir immanquablement par les amener à lui demander : « Mais quel âge avez-vous, madame Chose ? » « J'ai cinquante-six ans ! Vous n'en croyez pas vos yeux, vos oreilles, votre nez, hein ? » Et la mère de Léa, la petite fille avec des rides, qui avait l'air d'un tableau du Moyen Âge à côté de sa maman, silencieuse, souriait aux sempiternelles farces plates de sa mère, même si elle les avait entendues jusqu'au bord du suicide, était fière d'être à côté de son soleil à elle, toujours en train d'acquiescer à tout ce que disait sa mère. La petite maman de Léa, timide, qui regarde toujours par terre, qui ne dit jamais un mot plus haut que l'autre, qui a appris à obéir, *À ta mère et à ton père tu obéiras*, voilà ce qu'elle répétait toujours quand Léa lui demandait : « Pourquoi t'as jamais eu envie de te rebeller, Môman ? » « Oh non ! Oh non ! » Oh non, elle n'en a jamais eu envie, car se révolter aurait voulu dire avoir une vie à elle. Or, comment avoir une vie à soi quand on a la tête remplie de mille mondes dont on ne peut se débarrasser ?

Oui, elle en a mis du temps à crever, l'ancêtre, assez de temps pour que la mère de Léa ne soit presque plus récupérable. Mais Léa veut recycler sa mère. Parfois, elle se sent comme une organisatrice d'abonnements de Québec Loisirs, qui galvanise ses troupes dans le fond d'un commerce à Saint-Loin-Loin, quelque part sur le boulevard Métropolitain, sous un éclairage au néon, dans une odeur de vieux café brûlé qui dort dans des verres en styromousse depuis trois siècles et demi. Elle ne sait pas d'où ça lui vient, mais avec elle, tant qu'il y a de la vie, il y a de l'espoir! Léa veut trouver non pas des activités, mais l'activité suprême qui ferait renaître sa mère, et elle pense avoir trouvé.

Par le passé, elle a bien essayé de l'inscrire à des cours. De natation par exemple. Mais après quelques brasses, elle a fini par crier qu'il y avait un piranha dans l'eau de la piscine. Trois dames ont failli se noyer. Elle lui a fait suivre aussi des cours de cuisine, sa mère a mis le feu dans les chaudrons, bousillé la soupe aux champignons, et s'est mise à trembler dans un coin, cachée en dessous d'une table durant quatre heures, le temps que sa fille aille la chercher. Elle a également œuvré dans le bénévolat, auprès des vieux, Léa croyait que ce serait bon pour elle, des vieux, ils ont besoin de soins comme une portée de chiots, et en effet, c'était bon pour sa mère, du moins un certain temps, jusqu'à ce qu'elle en oublie un dans le bain pour aller chercher quelque chose dans un pays enchanté. De même, Léa a essayé de lui faire écrire sa vie, son monde, son quotidien, la folie, n'importe quoi. Elle lui a donné une machine à écrire, mais l'instrument n'a pas fait long feu entre ses mains. Sa mère a dit que c'était une machine à coudre des mots, elle a donc inséré du tissu dans le rouleau pour prouver que c'était bien vrai. Mais là, Léa pense avoir trouvé : la peinture ! C'est son espoir d'un avenir merveilleux, et ce sera celui de sa mère aussi.

— Môman, finis ton McDo, j'ai une surprise pour toi !

— Oh oui ! Oh oui !

— Une surprise pleine de couleurs magnifiques que t'aimeras, j'en suis certaine !

— Oh oui ! Oh oui !

— Nous avons rendez-vous, il est temps d'y aller !

— J'y vais avec vous, lance Midi et Quart, les dents couvertes de purée de McCroquettes.

— Non, je pense qu'il faut que j'y aille seule avec ma mère, tu comprends, il faut que ça se passe entre nous deux.

— Ah, O.K., je comprends.

« Oh oui ! Oh oui », blablate-t-elle tout le long du trajet, du McDo coin Papineau et Sainte-Catherine jusqu'à Sherbrooke, pas loin du boulevard Saint-Laurent, lieu de sa renaissance. La chapelle Bon-Pasteur. Un bel édifice qui donne le goût d'être fou pour pouvoir y passer ses journées, pense Léa. Elle inscrit sa mère aux Impatients, à des ateliers d'art brut pour malades mentaux. L'occupation par excellence, selon la jeune femme. Elle est sûre qu'ici sa génitrice sortira les mondes qui habitent sa tête, c'est dans ces ateliers d'art marteau qu'elle pourra emprisonner sur des feuilles de papier les horreurs qui assaillent ses pensées depuis qu'elle a douze ans. Parce qu'elle avait douze ans, la mère de Léa, la première fois qu'elle a vu une sorcière se promener dans le couloir de la maison familiale, elle n'a pas eu peur, elle n'a pas crié, elle a juste su que dorénavant la vie ne serait plus jamais comme avant pour elle, que le monde, les sorciers, Jésus, Judas, Satan, les méchants Japs… tous étaient dans le même panier d'écrevisses et qu'il allait falloir qu'elle se débatte seule contre ces intrus, car personne n'avait la faculté de voir ce qu'il y a dans son monde parallèle. Et les années ont passé, et les choses ont empiré. Elle entretenait des conversations dangereuses avec des voix qui lui susurraient des cruautés sans relâche. Elle s'est donc mise à avoir peur de tout, impossible de la faire sortir dehors, des guet-apens menaçaient à tous les coins de rues, des kamikazes se terraient dans les fonds de cours, une question d'un passant prenait l'allure d'une séance de torture. Elle s'est donc barricadée dans les jupes de sa mère, laissant cette dernière décider de tout pour elle, quand manger, quand se coucher, quand regarder la télé. Jusqu'à ce jour où elle est allée seule au Peoples du coin s'acheter un pantalon et où elle s'est fait aborder par l'ennemi dans de beaux habits, qui allait semer le trouble dans son ventre. Neuf mois plus tard, elle accouchait de Léa. Un bébé agité qui réclamait déjà sa dose de médicaments. Sa mère a accepté sa nouvelle réalité avec résignation, comme maintenant, elle ne dit pas un mot, elle regarde sa fille remplir les formulaires.

— Môman, je vais venir te chercher dans deux heures, tu m'entends? Dans deux heures!

— Oh oui! Oh oui! répond-elle en bougeant la tête rapidement et par saccades comme un moineau sur une branche intrigué par les bruissements des feuilles.

— Fais des beaux dessins, et t'inquiète pas, je vais venir te chercher, tu vas être O.K.?

— Oh oui! Oh oui! O.K. O.K.

Léa quitte l'endroit, laisse sa mère aux Impatients, entre les murs recouverts de peintures de gargouillis pathologiques. Sa mère est debout seule dans le couloir et se frotte les mains en se dandinant. Quand les portes de l'ascenseur se referment, Léa a étrangement une pastèque dans la gorge comme si elle laissait sa fillette affronter sa première journée d'école, même si elle, sa mère, n'était pas avec elle quand elle a commencé son primaire, elle était en cure fermée en train de subir peut-être des électrochocs. Léa était seule cette journée-là dans sa grande cape de Petit Chaperon rouge que le grand méchant loup dévorait à longueur d'année, et depuis ça n'a jamais cessé, tout le temps seule, mais dans d'autres capes, des capes noires de malheur surtout, voilà à quoi elle pense en marchant à pas rapides dans la rue Sherbrooke, voilà encore ce qu'elle se dit une fois assise dans un petit café, devant un expresso, pas de sucre pas de lait. Ses mains serrent la tasse pendant qu'elle fixe l'eau noire. C'est l'arrêt, pour une fois, Léa se repose.

Pourtant, même si ses yeux ont envie de se noyer dans le noir de l'expresso, quelque chose la force à lever la tête, un pressentiment, un mauvais rêve qui se balade dans la rue, c'est ce qu'elle voit à travers la baie vitrée : sa mère marche rapidement sous les flocons de neige.

— Oh non!

Elle doit rattraper sa mère. Nerveuse, nerveuse. Ses sous sont dans le fond de son sac, éparpillés dans le trou noir, un trou noir pareil au gouffre dans lequel sa mère la force à plonger et à replonger. Pas le temps de respirer, sa mère est comme un bébé qui met ses doigts dans la prise, qui envoie valdinguer son bol de spaghettis ou qui se jette en bas d'un building dans un habit de Superman, sauf que sa mère est un bébé qui ne grandira jamais. Léa vide le fond de son sac avec nervosité, déballe les vieux mouchoirs, les tampons, les déchets qu'elle garde toujours sur elle : des emballages de sandwichs, de tablettes de chocolat, de chips, jamais de poubelles dans les environs, vide tout, montre son gouffre à l'humanité pour payer l'expresso et aller rejoindre à toute vitesse son cauchemar qui erre sur le trottoir.

Sa mère s'est sauvée des Impatients, elle est partie sans demander son reste. Sans manteau ni foulard, elle court dans la ville avec seulement une chemise sur le dos. Elle fend le froid hivernal qui fend le visage de Léa à son tour. Elle court dans la neige en chaussettes comme une comète sous les flocons de neige qui tombent de plus en plus fort, qui forment comme une vitre sale devant les yeux de Léa. Ses mains sont tendues pour atteindre sa mère à la manière d'une somnambule qui n'arrive pas à trouver la fin du couloir, prise dans son rêve, dans son cauchemar dans lequel apparaît un camion.

— MÔMAN! MÔMAN! ARRÊÊÊTE!

Le camion qui roule à côté de Léa va tourner à gauche, va tourner sur sa mère, Léa le voit bien, il approche dangereusement, et à cause des flocons, il ne voit pas la petite bonne femme qui s'apprête à traverser la rue. Le camion ne lui pardonnera pas de s'être sauvée des Impatients.

— MÔMAN! ATTENTION!

Soudain, la mère arrête sa course. Elle a entendu la voix de sa fille. Le camion la frôle, le camionneur l'envoie se faire voir par les Vietnamiens, se faire enculer par les

Grecs, se faire gaver comme une oie en France. Une marée d'adrénaline déferle en Léa comme lorsqu'elle a des chocs anaphylactiques après avoir bouffé des kiwis, de la crème glacée, des noix ou des pétoncles. Sa mère n'a pratiquement rien sur le dos, et c'est Léa qui tremble, et pour encore plus trembler, elle met son manteau sur les épaules de sa mère et elle la tient dans ses bras pour la ramener au centre.

— Môman! Qu'est-ce que t'as pensé?

— Je voulais aller te rejoindre. Je t'ai entendue crier, j'étais sûre que t'avais besoin d'aide.

De retour aux Impatients, l'intervenante s'est inquiétée, elle se confond en excuses, remonte jusqu'à son enfance malheureuse pour bien faire comprendre à Léa qu'elle n'y est pour rien dans cette fuite saugrenue, que c'est la première fois que cela arrive, que gérer une bande de fous, ce n'est pas de la tarte, il faut avoir des yeux tout le tour de la tête, et comme elle n'est pas un monstre, elle n'a que deux yeux, elle ne peut donc voir que ce qui se trouve devant elle, elle n'a pas vu sa mère se sauver, elle a bien remarqué qu'elle n'était plus là, mais il était trop tard. Léa ne lui en veut pas. Elle lui demande simplement si elle peut rester, le temps que sa mère se sente assez en confiance et qu'elle n'ait plus envie de s'enfuir vers une autre planète. L'intervenante fautive ne peut pas le lui refuser. Elle lui dit de s'installer où elle veut, d'emporter ses pénates si elle le veut. Un café? Une cuisse de poulet St-Hubert? Elle est à son service.

Léa et sa mère sont donc assises côte à côte dans la salle, entourées d'autres malades mentaux qui ont de drôles d'idées dans la tête. Comme cette femme qui s'est donné pour mission de construire un cheval de Troie avec de la broche de poulailler. Les yeux sortis des orbites, elle lutte contre les tiges de métal, s'en rentre une dans le doigt, ne maugrée même pas, comme si elle savait que ça fait partie du jeu, sèche la goutte de sang en mettant son doigt dans sa bouche, reprend son travail avec la concentration d'une fourmi dans la jungle amazonienne, sans jamais se décourager. Et cet homme qui danse sur place, les bras dans les airs comme les danseurs grecs chaque fois qu'il trace une ligne sur sa feuille de papier de couleur rose. La feuille devant la mère de Léa est blanche, blanche comme sa peau et celle de sa fille, une lignée de Blanches-Neiges que seuls des nains magiques peuvent comprendre. Les crayons sont dispersés devant elle tout comme ses pensées.

— Allez, Môman, fais-nous des beaux dessins ! Toi aussi, tu peux dessiner ! Et qui sait, peut-être pourrais-tu devenir une grande peintre comme moi ! Tu le sais, Môman, que je veux devenir la plus grande peintre que la terre ait portée, tu le sais depuis que je suis toute petite. C'est toi qui m'encourageais à dessiner quand tu piquais tes crises de folie et que tu engueulais le gros ours sur les boîtes de Sugar Crisp, tu te rappelles ?

Léa se réfugiait dans un autre monde pour ne pas que les monstres dans la tête de sa mère sautent dans la sienne. Parce qu'il faut se méfier de la folie, elle vous guette et sans crier gare elle se jette sur vous pour vous projeter des films d'horreur à longueur d'année en dessous de la casquette. Léa doit encore plus se surveiller, car dans sa famille on est abonnées de mère en fille, mais elle, elle a bien décidé de sauter en bas de son arbre gynécologique pour aller jouer dans le pré où se trouve le bonheur, comme elle dit, et c'est avec sa future carrière de reine de la toile qu'elle se protège. Mais elle a beau expliquer toute cette confiture à sa mère, celle-ci ne semble pas l'écouter, trop concentrée sur ses collègues du coco. Elle ne bouge pas, continue de fixer les autres fous. Léa s'énerve : « Je n'ai pas que ça à faire ! Maudit ! J'ai des toiles à créer ! » Elle penche de force la tête de sa mère sur la feuille de papier, en lui criant de sortir ce qu'il y a dans son ciboulot. Sa mère résiste, il y a comme un ressort dans son cou qui fait que plus elle force, plus la tête de sa mère rebondit. Léa s'énerve encore plus.

— Allez, Môman ! Allez ! On n'est pas venues ici pour les canards ! Crisse ! Dessine, Môman ! Crisse ! Crisse ! Crisse !

L'intervenante intervient.

— Hé, vous ! Ne forcez pas votre mère de la sorte ! Laissez-la ! Allez, venez manger un petit gâteau, mademoiselle, et boire un petit café, ça va vous faire du bien ! Donnez-moi votre main. Hé, mais vous êtes gelée, vous avez froid, vous neigez sur votre mère, voilà pourquoi elle est de glace devant sa feuille !

Un peu perdue dans ses habits, Léa se laisse entraîner par l'intervenante jusque dans une autre pièce où elle lui sert un café qui, songe-t-elle, tient plus du sirop Mathieu que l'ancêtre lui donnait quand elle était malade et qu'elle était sur le point d'expectorer tout son être.

— Vous avez beaucoup de colère en vous, mademoiselle, ça se sent. Il ne faut pas la garder pour soi, ce n'est pas bon ! Est-ce que vous allez bien ? qu'elle lui demande l'enquêteuse.

« Non, mais, c'est quoi cette question ? Elle me traite de folle ou quoi ? Qu'elle aille se faire traiter elle-même ! Oui, je vais bien, je n'ai pas d'araignée dans le plafond, moi, et je ne vois personne, ni de monstre ni de sorcière et encore moins de psychiatre, tout ce que je vois, je l'enregistre pour mes futures toiles », se dit Léa.

— Je dois retourner voir si mon groupe n'a pas fait de folies. Ah ! Ah ! Quel drôle de jeu de mots ! Restez ici, reposez-vous un peu !

Léa enrage : « Se reposer ! Se reposer ! Impossible ! Je n'ai pas le droit de me reposer. Je dois surveiller ma mère toujours toujours. » Elle sort donc derrière l'intervenante. Lorsqu'elle arrive dans la grande salle de dessins, dans l'espace hyper éclairé par les gros néons, elle a le cœur qui lui remonte jusque dans les joues.

Sa mère est assise sur la table au centre de la pièce, elle est couverte de broche de poulailler, entortillée des pieds à la tête. Elle regarde droit devant avec ses yeux exorbités et sourit, fière d'elle-même, comme si enfin elle était la reine de son royaume, la reine des fous. Les autres malades mentaux sont réunis autour d'elle et continuent leur démarche artistique qui consiste à l'enfermer dans la broche de poulailler de la femme qui voulait construire un cheval de Troie. Tous les fous éclatent de rire et sa mère aussi.

# Cinquième lettre

Tu traînes tes yeux par terre dans l'appart pour que je comprenne bien que tu t'ennuies à te décomposer debout. Tu voudrais que je passe plus de temps avec toi, que dis-je, que je passe tout mon temps à te tenir compagnie. Après avoir mangé des gâteaux remplis de crème chimique, on s'assoirait dans ton salon gris aussi grand qu'un placard et on donnerait un petit coup de neuf à tes inquiétudes, on en créerait de nouvelles encore plus effrayantes, plus paralysantes, en se berçant et en fumant clope par-dessus clope, emboucanant l'appart jusqu'à ne plus se voir, jusqu'à se transformer en nuage de fumée. Mais j'ai du travail, j'ai des amis à voir, et s'il n'y avait rien de ça, je trouverais des choses à faire et de nouvelles personnes à fréquenter, tout pour ne pas être à tes côtés. On est irrécupérables, maman. Chaque fois qu'on se voit, notre temps est compté. Mais tu persistes et tu signes. Tu me déballes tous les dessins que tu as faits le peu de temps *que tu as fréquenté les Impatients. Tu aimais y aller. C'était comme Noël quand tu t'y rendais, et moi, ça me faisait plaisir. Mais le bonheur n'a pas sa place dans ton existence monastique de sœur flageolante. Tu as cessé d'aller aux ateliers sans savoir trop pourquoi, prétextant que ton réveil ne sonnait jamais à temps, que la rue de l'Hôtel-de-Ville était si verglacée qu'il t'aurait fallu des piquets et des pioches pour l'escalader afin d'arriver à la chapelle Bon-Pasteur. Mais je sais pourquoi tu as cessé d'y aller. Parce que ça te rendait trop heureuse et que par ricochet ton bonheur me laissait du lousse. Comme tu n'étais plus totalement isolée, je vaquais à mes occupations sans trop me faire de mauvais sang pour toi, tu avais une vie maintenant, je pouvais donc être comme une fille de mon âge qui a une mère occupée, une fille qui a une vie à elle, qui peut visiter d'autres pays sans se sentir coupable, qui mange dans de grands restaurants sans cette pensée triste que jamais sa mère n'aura la chance de goûter à de telles délices, une fille qui ne s'inquiète pas à toutes les secondes du jour et de la nuit de savoir si sa mère est O.K., si elle ne marche pas dans les rues, tard le soir, en hurlant : « Je suis fatiguée d'être seule ! », si elle n'est pas assise au centre d'un salon crade, dans la noirceur, devant un téléviseur éteint, en train de ruminer des pensées morbides, des pensées de fin du monde où elle voit sa progéniture se faire massacrer par un maniaque à la tronçonneuse, d'imaginer des tas de scénarios qui auraient pu se produire par le passé. Tu sais, comme ce scénario… celui quand j'étais gamine et qu'un sadique aurait pu s'approcher de moi, me kidnapper, me violer par tous les orifices et découper mon petit corps en mille morceaux qu'il aurait ensuite jetés dans cinq sacs à ordures aux quatre coins de la province. Et si j'avais été cette fille sur* le pont Jacques-Cartier, qui marchait avec son amoureux et qu'un détraqué a jetés en bas du pont juste après les avoir violés? Et à quinze ans, toutes les fugues que je faisais auraient pu mal se terminer. Si j'étais morte en conduisant le scooter d'un ami alors qu'il était gelé comme une balle de neige ou que j'aie fini en prison quand je volais à l'étalage ce que ton aide sociale ne pouvait me procurer : des livres, des maillots de bain, des bijoux cheap? Et si j'avais attrapé le sida quand je baisais à gauche et à droite avec des individus plus louches les uns que les autres? Et toi, comment aurait été ta vie sans moi? Comment aurais-tu procédé pour mon enterrement? Difficile d'acheter un cercueil d'un beau bois brillant rempli de coussinets mauves satinés quand on est sur l'aide sociale. Probablement, j'aurais eu droit à un cercueil blanc dont les planches auraient menacé de se fendre lorsqu'on aurait refermé le couvercle. À la suite de mon décès, tu aurais conservé tous mes livres et vêtements comme des reliques, comme tu l'as fait pour ta mère. Ses placards sont encore remplis de ses habits comme si elle était simplement partie passer quelque temps à la campagne chez une vague cousine. D'ailleurs, tu es convaincue qu'elle reviendra. Ne l'as-tu pas vue l'autre jour sur le boulevard René-Lévesque? Tu es sûre que c'était elle, même si tu as été témoin de sa mort et de la mise en terre de ses cendres. Non, ça ne compte pas, ce n'était qu'un épisode d'une émission triste et l'actrice n'est pas morte à la fin de la série. Elle rejouera dans une autre émission ou au cinéma. Ta mère est toujours parmi nous. Elle dort même dans son lit la nuit à mes côtés, elle prend toute la place, me vole les draps, me roue de coups de pied quand je rêve. Je l'entends même me semoncer parce que j'écris ce livre sur toi. Elle ne veut pas que les choses changent, *elle sait qu'écrire sur toi équivaut à te tuer symboliquement. Une fois le roman terminé, je serai quelqu'un d'autre avec beaucoup plus de place en moi. Et ça tu n'aimeras pas, car toi aussi, tu es comme ta mère, tu n'apprécies pas du tout le changement. D'ailleurs, tu n'as jamais accepté que je grandisse et que je tente de voler de mes propres ailes. Combien de fois m'as-tu menacée de t'ouvrir les veines si je continuais sur ma lancée ? Et combien de fois as-tu tenté de t'interposer dans mon développement avec ton ennui maladif ? Mille fois tu as essayé de me retenir. Même quand tu n'es pas là, tu me barres la route, tu te jettes à mes pieds pour m'empêcher d'avancer et tu pleures des grosses larmes qui finissent par former des flaques, des lacs, des océans dans lesquels je dois nager même si tu me tiens toujours solidement les jambes, m'attirant inlassablement vers le fond, mais je garde la tête hors de l'eau et quand je parviens à toucher la terre ferme, tu es déjà sur la berge avec tes supplications de mère en manque de progéniture et tu me poursuis en levant ta jupe pour me montrer par où je dois entrer pour rester à toi pour toujours, et tu cours après moi avec ta jupe remontée jusqu'au menton et tes deux jambes écartées. Parfois, de fatigue, j'arrête ma course afin de calmer ma respiration asthmatique, je m'appuie contre une roche, un mur, et là tu en profites pour grimper sur mes épaules, mettre tout ton poids sur mon dos, jeter ta vulve sur mon crâne et appuyer comme une dingue. Tu veux tellement que j'entre à nouveau en toi et que je patauge dans tes seins que tu m'exhibes parfois, souvent, toujours, comme un festin, comme deux Big Mac prêts à me nourrir éternellement. Oui, je sais, tu me l'as répété des milliers de fois, il faut que je le comprenne, tu seras toujours là pour moi, tu es ma mère et je suis la chair de ta chair. Et regarde comme je te ressemble, on partage les mêmes angoisses, la même peur des autres, des maladies, des coquerelles, et les mêmes manques ; toutes les deux avons manqué d'amour maternel par intermittence. Mais là, tu veux réparer la donne, tu souhaites me reprendre en main pour ne pas me sevrer encore une fois. Me garder poupon, me couper les jambes et les bras et me langer. Heureusement, j'ai un radar incorporé qui me permet de surveiller tes allées et venues. Quand tu t'approches trop, je m'enfuis. D'ailleurs, là, je pars pour une semaine à Baie-Saint-Paul terminer le scénario du film. Même si je t'ai avertie de mon absence d'une semaine depuis que je suis arrivée, tu ne comprends pas que je doive partir, encore une fois partir, toujours m'éloigner de toi. Et c'est là que tu veux changer le cours de l'histoire. Tes sourires sont moins intenses, tes pensées s'entrechoquent et forment des propos de moins en moins cohérents. Tu es déçue. Je pars quand même.*

# CHAPITRE 5

# Tête

*Mougins, 3 juillet 1972*
*Craie et crayon de couleur sur papier*
*Galerie Rosengart*

Un jour, l'arrière-grand-mère de Léa harcelait sa fille pour aller magasiner rue Sainte-Catherine, dans l'ouest, elle lui tordait les bras, les jambes, les jointures : « Viens ! Viens, pas fine ! », elle la poussait dans le dos, dans le cou, la tirait par les cheveux, par les poils de sourcils, « Il faut que tu sortes, maudite marde ! Tu ne mets jamais le nez dehors ! Tu ne respires jamais la brise de l'automne ! Tu ne vois jamais ton ombre sur la neige à l'arrivée du printemps ! Viens, ça te fera du bien, et à moi aussi ! » La grand-mère de Léa se disait : « Ouan ben, la mère a peut-être raison… Et les petites ont besoin de manteaux et de tuques de laine pour l'hiver si froid qui s'annonce. Pis pourquoi pas ? Allons-y gaiement ! »

L'ancêtre s'est donc décidée à sortir avec sa mère, après tout, elle pouvait se permettre une petite virée dans les grands magasins, elle avait une bonne que son mari payait avec son salaire de fourreur de poils de renard africain. La bonne était là pour l'aider dans les menus travaux ménagers, parce que le mari de la grand-mère ne comprenait rien au Palmolive ni à la séparation du pâle et du foncé dans les brassées de linge. Lui, ce qu'il connaissait, c'était la taverne du coin et les torrents de bière qui coulaient à flots dans son gosier, ses deux paquets de Du Maurier king size par jour et les grosses femmes maquillées comme des pizzas, qui se trémoussaient devant lui pour avoir droit elles aussi au torrent de bière. Alors, la grand-mère de Léa bénéficiait d'une bonne pour la seconder dans la maison et prendre soin des deux filles en bas âge, d'Armand, le plus vieux de huit ans, qui était sourd comme un pot dans un placard à cause des oreillons, et du mari alcoolo, ça fait beaucoup de monde à la messe! Et ça, c'est sans compter les draps à plier, le linge à laver, la vaisselle à ranger… La bonne allait pouvoir garder les deux petites, et bien s'en occuper, d'ailleurs, la vaillante bonne lui répétait : « Allez, madame Chose! Allez faire lonlaire sur la Catherine, je vais prendre soin des deux petites, nourrir votre mari et le plus vieux qui n'entend rien à la vie et je vais laver le plancher! » Pour montrer qu'elle n'était pas menteuse pour deux sous, la vaillante bonne avait même rempli un gros seau d'eau bouillante qu'elle avait placé en évidence en plein milieu de la cuisine.

L'ancêtre de Léa s'en est donc allée prendre l'air avec sa mère. Pendant que le chat n'était pas là, les souris se sont mises à danser. La petite de dix-huit mois a fait quelques pas en direction du seau. C'est intrigant un seau pour une petite fille de dix-huit mois, une petite fille de dix-huit mois veut voir ce qu'il y a à l'intérieur qui fume de la sorte, tout à coup ce serait un liquide magique qui fait apparaître des jouets. La petite fille, suivie de sa cadette bien d'aplomb sur ses quatre pattes, s'est donc approchée de l'objet magique pendant que la bonne fumait une cigarette sur le balcon. La plus vieille qui marchait comme un alcoolo, à la manière du mari les soirs de grande fiesta, a titubé et est tombée tête première dans le seau fumant, le petit corps coincé et déjà le visage défiguré. Le seau s'est renversé sur le côté, répandant son liquide sur la petite sœur à quatre pattes, un autre visage défiguré.

Les cris des enfants, les cris de la bonne, les cris du grand frère sourd quand il est rentré de l'école, les cris de l'ambulance, les cris de la mère de l'ancêtre de retour du magasinage et le silence de la grand-mère de Léa, le larynx atrophié, les cordes vocales sciées, le système nerveux en arrêt dans le temps, en arrêt pour huit ans, la tête dévissée et posée à côté de son corps, et la folie de la mère de Léa née un an après le drame. Ses premiers mois dans la vie.

Bébé docile, seul, abandonné fréquemment, sur la table de cuisine dans sa chaise de bébé, par sa mère qui quittait constamment son rôle maternel pour aller chercher ses filles aux pieds des arcs-en-ciel. Bébé qu'on pensait à nourrir seulement quand les cris devenaient assourdissants.

Bébé maigre alimenté à coups de torpeur, mais bébé surprotégé, n'effectuant ses vrais premiers pas qu'à l'âge de cinq ans et sous haute surveillance, entouré d'adultes terrorisés. Maintenant qu'elle marche, tout peut lui arriver, pensait-on. Alors, il fallait vite lui couper l'herbe sous le pied pour empêcher tout désir de liberté de progresser. Des histoires d'horreur ont donc fusé des bouches des grandes personnes qui la côtoyaient. «Dehors, il y a des fifis! Des bonshommes sept heures! Des kidnappeurs d'enfants, qui attirent les petites filles comme toi avec des bonbons pour les cacher dans leur cave et les martyriser!» «Cette petite, y faut y faire attention, c'est la seule qui reste à Marianne Naud!» Et la mère de Léa a grandi ainsi, séquestrée par la peur de la perdre de ses parents et martyrisée par leurs propos affolants. Six ans, sept ans, huit ans. Toujours les mêmes histoires. Mais un jour, la grand-mère est sortie de sa torpeur comme par magie. Une petite fille maigrichonne, collectionnant les maladies, la regardait avec ses grands yeux cernés. Sa mère s'est donc mise à s'en occuper férocement pour réparer toutes ces années gâchées où elle n'avait pas conscience qu'elle avait un autre enfant. Mais il était trop tard. Le mal était fait et allait s'étendre à toute la descendance et faire la vie dure à Léa.

\* \* \*

Aujourd'hui, Léa a décidé de sortir sa mère et de l'amener au Musée des beaux-arts. Une visite du musée, s'est-elle dit, ce sera bon pour stimuler son monde intérieur. «Et peut-être qu'après cette sortie ma mère s'en prendra à autre chose qu'à ma bouille dans la production de ses chefs-d'œuvre en série. Une sortie culturelle l'incitera peut-être à continuer de se rétablir. Si un jour ma mère va mieux, voire si elle réussit à extirper les sorcières de sa tête par ses trous de nez et guérit pour de bon, elle me laissera peut-être en paix et enfin je pourrai penser à moi et à mes ambitions.»

Léa et sa mère sont enfin dehors en direction du Musée des beaux-arts, mais il s'en est fallu de peu que la sortie n'ait pas lieu. Léa a dû faire un effort monstre pour que sa mère sorte de l'infection. De jour en jour, ça devient de plus en plus difficile. Sauf pour aller chez McDo, ça, elle adore. Ou pour se rendre à ses ateliers de dessin aux Impatients. Autrement, la mère de Léa n'aime pas sortir, elle craint toujours qu'il arrive quelque chose si elle déplace trop d'air, c'est à cause de l'histoire de ses sœurs mortes, l'aïeule lui a injecté un fleuve de peur dans les veines. Léa imagine que sa génitrice doit se retenir de sortir au cas où un paquebot atterrirait dans son salon, où une armée de requins volants la poursuivrait dans la rue. Tous les prétextes étaient bons pour qu'elle pourrisse au-dessus de sa feuille de papier aujourd'hui. Le mauvais temps, tout à coup il y aurait une bordée de neige? Et la poule, qui va s'en occuper? Aujourd'hui, son prétexte était le lavage de ses cheveux. Ce n'était pas la journée, elle ne pouvait donc pas sortir. L'horaire des semaines de la mère de Léa est coulé dans le béton. Le mercredi, c'est la journée des Rice Krispies, le jeudi, c'est la journée du bain dans des bubulles, le vendredi, le poisson, elle est bien accro aux enseignements catholiques qui disent le vendredi, tu mangeras du poisson, et le lundi, c'est la journée du lavage de tête. Et elle y tient mordicus, il en va de l'équilibre entre ses deux oreilles.

— Mais, Môman, allez, on fait une grande sortie, on fait les grandes dames, un musée, c'est un endroit saint comme une église, il faut être propre! Mets des habits du dimanche et lave-toi les cheveux, tu ressembles à une vieille moppe!

— Non, on n'est pas lundi, je peux pas me laver les cheveux, non, c'est dangereux, c'est dangereux! T'es-tu tombée sur la terre, ma fille?

Devant son obstination, Léa a tenté une petite ruse, elle a fait un X sur le calendrier de manière à les amener illico à lundi, car sa mère barre toutes les dates sur le calendrier chaque soir, c'est sa manière à elle de s'y retrouver dans la vie. Devant l'évidence du calendrier, la mère de Léa s'est donc pliée aux exigences de sa fille et s'est lavé les cheveux, a mis ses vêtements du dimanche et ses petits souliers Hush Puppies du dimanche et elles sont sorties de la maison, tout en faisant bien attention à ne pas se faire voir par Midi et Quart qui est toujours aussi collant qu'une limace en mal d'amour, selon Léa. Et elles ont marché en direction du Musée des beaux-arts. Sur leur trajet, en passant devant une librairie, Léa a eu envie d'offrir un livre à sa mère, car elle aime bien lire. Léa ne sait pas si elle comprend ce qu'elle lit, parce qu'elle commence toujours les romans par la fin, question de savoir s'il y a des morts, mais bon. Elle lui a acheté *L'Alchimiste* de Paolo Coelho.

— Je sais pas c'est quoi un alchimiste, Léa.

— C'est quelqu'un qui transforme les métaux en or.

— Quoi? Il transforme les métros en or!

Elle est drôle, sa mère, elle lui en sort des comme ça souvent, elle la fait pouffer, parfois, ce qui allège la tension qui persiste dans leur rapport mère/fille inversé depuis que Léa a hérité d'elle, ce qui change des moments où sa mère lui tape royalement sur les nerfs et où elle explose.

Elles marchent toutes les deux dans la rue Sainte-Catherine en direction du Musée des beaux-arts. Sa mère essaie de lui tenir la main, Léa ne veut pas, mais sa génitrice persiste et gagne. Léa a honte, elle se demande de quoi elles ont l'air, de lesbiennes ou d'un couple d'attardées mentales ? Léa enfonce sa tuque solidement sur sa tête et laisse sa mère faire ce qu'elle veut avec sa main.

En passant devant le cinéma Parisien, sa mère cesse de marcher et fixe l'annonce des *Boys III*, elle regarde tous les comédiens et dit leur nom à voix haute : « Rémy Girard, Marc Messier, Serge Thériault… » Elle les connaît pratiquement tous, elle regarde souvent la télé, sa maman, ces comédiens doivent donc former comme une sorte de famille dans sa tête, se dit Léa. Sa mère lui sourit à la manière d'une petite fille qui désire fort le gros gâteau au chocolat.

— Tu veux qu'on y aille, hein, Môman ?

— Oh oui ! Oh oui !

Léa doit gratter son fond de porte-monnaie afin de payer leur entrée. Elle n'a presque plus d'argent, ça fait longtemps qu'elle n'est pas retournée chez Wal-Mart. En fait, elle y est allée une semaine, mais comme sa mère n'arrêtait pas de l'appeler pour lui demander quand elle allait rentrer, Léa a demandé un autre congé au bouledogue, question d'habituer doucement sa mère à rester seule. Le bouledogue lui a dit que c'était la dernière fois. Elles montent à la salle 5, ce qui leur prend un temps fou. Sa mère a peur des escaliers mécaniques, alors elle hésite longtemps avant de mettre son pied sur une marche, lève son pied, quand la marche monte un peu plus, elle enlève son pied puis recommence le manège une dizaine de fois, même s'il y a une queue derrière elles qui s'étire et qui grommelle.

— Allez, Môman ! Ça fait, calvaire !

Une fois rendues dans la salle 5, ça prend encore un temps fou avant de trouver le bon siège, sa mère n'arrive pas à se décider. Finalement, elles se retrouvent dans la première rangée, sa mère a peur de ne pas voir le film d'assez près, elle veut être la première à recevoir l'histoire en pleine gueule. Elles sont assises côte à côte, sans pop-corn ni Coke, ça coûte tellement cher.

— Sais-tu ce qu'il y a derrière le gros rideau rouge, Léa ?

— Ben voyons, Môman, c'est l'écran qui se trouve derrière !

— Je le savais ! Je t'ai eue !

Léa a envie de rire, mais elle se retient, sans savoir pourquoi, peut-être est-ce parce qu'elle ne veut pas que sa mère installe trop facilement son petit monde à l'intérieur d'elle. Elle peut être si envahissante, mais en même temps, elle peut être si touchante, comme en ce moment. Sa mère chante tout bas la chanson de Noël qui joue en sourdine dans la salle avant que le film commence, « Vive le vent ! Vive le vent ! Vive le vent d'hiver ! Boule de neige et jour de l'An et bonne année, grand-mère ! » Léa ne sait pas pourquoi, mais elle est soudainement tout à l'envers, elle aurait envie d'être ailleurs, ou plutôt d'être une autre fille, plus forte, être déjà la grande peintre qu'elle se jure d'être un jour, l'être tout de suite et être au-dessus de tout, à l'abri des émotions qui font mal comme des aiguilles dans les yeux.

Une fois le film terminé, sa mère lui dit qu'elle a faim, et quand elle a faim, c'est quelque chose, elle le répète inlassablement, « J'ai faim, j'ai faim, je mangerais un steak avec des pétaques, je mangerais du spaghetti à la viande bologniiise », Léa doit vite trouver un resto.

— J'ai faim, j'ai faim, je me sens étourdie !

— Oui, Môman !

— Je suis tout étourdie.

— Oui, Môman, j'ai compris. Arrête ta chanson, tu m'énarves!

Mais sa mère continue. Elles entrent donc dans le premier restaurant sur leur chemin, un delicatessen, pour que sa mère mange un gros plat de spaghetti à la viande. Après les frites à trois heures du matin, c'est ce qu'elle aime le plus au monde, d'ailleurs, elle aime tellement le spaghetti qu'elle le mange comme une perruche, elle s'en met partout dans le plumage, elle a des picots de sauce jusque sur le front. La bouche barbouillée, elle mange le visage tout près de son plat sans jamais relever la tête ni reprendre son souffle. Elle ne dit pas un mot, elle mange et mange, elle aime ça. Léa a de la difficulté à avaler son burger, elle a comme une grosse envie stupide de pleurer qui lui noue la gorge, comme une grosse envie de voir sa mère heureuse, elle voudrait qu'elle soit toujours bien comme ça dans la vie, que ça soit Noël pour elle tous les jours, même si elle ne sait pas c'est quoi Noël à cause de sa mère folle, elle a des idées cinématographiques de la chose.

Une fois qu'elle a mangé son plat de spaghetti sauce à la viande, elle avale d'un trait son verre de jus de raisin pour qu'elles se rendent au Musée des beaux-arts, car elle s'est rappelé qu'elles avaient une autre activité. Elles marchent vite, Léa marche même un peu plus vite que sa mère, question qu'elle oublie sur le chemin son envie de la tenir par la main, mais quand elle a une idée fixe, rien n'y fait, elle réussit à la rattraper et sa petite main se faufile dans celle de sa fille. Dans la rue avec elle, Léa se tient comme Napoléon. Elle est en guerre contre les rapprochements.

Elles arrivent au guichet du Musée, main dans la main. Elles attendent pour payer, devant la grande pimbêche du guichet qui les regarde comme si elles venaient d'une autre planète, comme si elles étaient deux masses informes ou plutôt deux Mickey Mouse géants, d'autant plus qu'elle a envie de rigoler, la guichetière, Léa le voit bien, elle se retient pour ne pas leur éclater en pleine figure. Léa s'impatiente.

— On pourrait-tu payer, calvaire ?

La guichetière regarde sa mère, puis la regarde, regarde encore sa mère. Elle alterne ainsi plusieurs fois avec ses joues qui grossissent comme du maïs soufflé et elle éclate de rire pour de bon. Léa enrage ! Elle lui jette du feu avec ses yeux, à la pimbêche, et elle prend sa mère par la main pour quitter ce lieu. Un jour, cette imbécile se jettera à nos pieds pour se faire pardonner, un jour prochain, quand je serai une grande peintre, se dit Léa. Sa mère la suit sans dire un mot.

Une fois à l'extérieur, à l'abri du rire hystérique de la guichetière sans manière, Léa tente d'expliquer à sa mère que parfois il y a des gens méchants dans la vie, mais que ce n'est pas sa faute, c'est alors qu'elle voit le visage de sa mère. Elle ne s'est pas essuyée tantôt au restaurant, elle a la bouche couverte de sauce tomate, des picots partout jusque sur le front, par-dessus le rouge de la sauce à spaghetti, il y a deux barres mauves, des moustaches de jus de raisin. Son visage est défiguré par la nourriture. Sa mère la regarde en souriant avec ses lunettes à double fond qui lui donnent des yeux de brochet. Léa comprend maintenant pourquoi la fille du guichet riait, impossible de se retenir en voyant la tête de sa mère. Léa rit à son tour, sa mère se met à rire avec elle, et elles rient comme des bonnes, elles rient comme des folles, elles rient à s'en éclater le cerveau, elles rient à en oublier leurs rôles respectifs. Une fois les rires tus, sa mère lui dit : « Léa, c'est la plus belle journée de ma vie ! »

# Sixième lettre

*Je n'ai aucun respect. Je raconte tout, c'est à peine si les chapitres du roman sont romancés jusqu'à maintenant. Bien sûr, ce n'est pas tout à fait toi, je n'ai gardé que ta folie, tes manies et tes peurs, et je les ai concentrées pour créer un personnage à l'état brut, un diamant qui n'a jamais été taillé. De moi, j'ai gardé… Je ne sais plus ce que j'ai conservé de moi pour créer Léa, mon sentiment de culpabilité, ça oui, mais je ne lui ai pas donné ma grande gueule, ma bouche immense, déformée, incapable de réunir ses dents pour empêcher les secrets de s'échapper, ma façon épouvantable de tout révéler. J'ai raconté notre secret familial, la mort tragique de tes deux petites sœurs que tu n'as jamais connues, Églantine et Constance, perdues dans l'eau bouillante. L'horreur de cette catastrophe plane sur notre famille depuis trois générations. Les spectres des deux fillettes ont bercé mon enfance à coups de récits macabres où les cris des enfants* résonnaient dans mes jeunes tympans des nuits entières. Leurs fantômes m'accompagnaient dans mes jeux, me volaient mes Barbie pour les démembrer. Et si l'une d'elles s'était réincarnée en moi ? as-tu essayé de me faire croire. Si j'étais une de ces petites mortes ? Horrible. Horrible. J'ai grandi avec la crainte d'être morte avant même de faire ma vie. Et si ce récit aussi n'était encore qu'une fiction, qu'une de vos élucubrations de folles que ta mère et toi auriez créées de toutes pièces afin de me rendre aussi timbrée que vous ? Si cette histoire n'avait jamais eu lieu ? Les petites ne sont peut-être pas décédées à la suite de brûlures, mais étouffées par un oreiller ou le crâne fracassé contre un mur de briques par la main de la grand-mère. Si la grand-mère en avait eu ras le pompon d'être engrossée par son mari alcoolique chaque année et qu'elle ait voulu mettre un terme à sa maternité imposée pour refaire sa vie, partir avec un inconnu qui l'aurait regardée avec des yeux de merlan frit dans une autre ville, un autre pays, une autre planète, mais que finalement elle n'était pas partie, car il y a avait le repas du soir à cuisiner ? Comment savoir ? Mon histoire familiale est tellement emberlificotée, c'est à en devenir dingue, c'est à en devenir autofictionnaire et à s'amuser à perdre tout le monde dans le labyrinthe de mon passé. Je ne sais même plus si mes souvenirs sont vraiment les miens. Peut-être que tout ce que j'écris n'est que pure invention, qu'en fin de compte je n'ai absolument rien contre toi, que je suis la fille d'un chirurgien et d'une trapéziste de cirque et que je t'ai rencontrée dans la rue et t'ai emmenée chez moi parce que tu n'arrêtais pas de me suivre comme un chien pas de médaille, et que depuis je me sens une obligation morale envers toi ? Comment me fier à mes sentiments qui oscillent constam-

*ment entre l'adoration et le découragement? Car c'est étrange, mais plus je t'écris et plus je constate que c'est dans la fiction que je te témoigne le plus d'affection. Léa dédie sa vie à sa mère. Elle l'aide du mieux qu'elle peut alors que moi, j'essaie de me débarrasser de toi, m'ébrouant comme si tu étais une araignée tombée malencontreusement dans mes vêtements. J'ai même de la difficulté à te prendre dans mes bras quand tu ne vas pas bien, je te laisse te faire du mauvais sang dans ton coin en gardant le silence, conservant tapies au fond de ma gorge mes paroles réconfortantes. Mais ne va surtout pas croire que je me prélasse dans un quelconque contentement parce que tu es triste, au contraire, je m'en fais pour toi, mais je reste bien à ma place, regardant mes mains posées sur mes cuisses, comme si j'avais peur de trop m'approcher de toi et que ta tristesse me saute à la gorge. Je t'ai toujours touchée très peu comme si je craignais que tu sois couverte de colle et que je reste pour toujours prise après toi. Et je donne des baisers à mes amis, aux parents de mes amis, à ma belle-famille, et toi, il faut inévitablement qu'il y ait un bras de distance entre nous, un bras de distance comme les enfants au primaire qui doivent faire ce geste pour ne pas s'aplatir les unes contre les autres, à la manière d'un accordéon, dans la queue qui les mène à leur classe. Mais pourtant, j'ai déjà été cette petite fille qui regardait sa mère comme une déesse, qui était toujours après elle, cachée dans ses jupes. J'ai devant moi une photo qui en témoigne. On nous voit toutes les deux vêtues des mêmes capes rouges du Petit Chaperon rouge et je te tiens par la taille comme une amoureuse éperdue. J'ai déjà été un peu Léa aussi, surtout quand ta mère est décédée, c'est moi qui me suis occupée de tout, de l'enterrement, des habits de l'ancêtre, de l'oraison, j'ai géré tout tout tout, c'est moi qui t'ai emmenée faire les boutiques pour acheter les vêtements de la grand-mère, qui allaient être incinérés avec elle, et de beaux habits pour toi aussi et de bons souliers et une mini-chaîne hi-fi et un percolateur, pour que tu aies un semblant de vie sans ta mère, et surtout pour que tu ne fasses pas pression afin que je quitte tout pour toi, qu'on prenne un appartement ensemble et qu'on reproduise le seul modèle familial que tu as connu : ta mère et toi, l'une et l'autre enchaînées par des inquiétudes. Il m'est arrivé de te sortir aussi. Oui, j'ai fait comme Léa, je t'ai invitée dans des restos, au cinéma, je t'ai emmenée te promener dans le Vieux-Port de Montréal où tu as eu peur du bord du quai, peur de tomber dans le fleuve ou que je t'y jette. J'ai essayé de te faire vivre autre chose que ce que tu as toujours connu : ta misère noire, mais ce n'était jamais assez. Tu n'as jamais été vraiment rassasiée des promenades, du shopping, des restos et des cinés, tout ce que je t'offrais n'était jamais assez, car il n'y avait pas la promesse que je rentre ensuite avec toi dans ta torpeur. Je n'en ai jamais fait assez pour toi et je l'ai toujours senti. Je ne suis pas la super héroïne que ta mère et toi souhaitiez tant que je sois. Que je vous prenne dans mes bras et que je vous emmène en volant au-dessus de Montréal et des autres villes vers un monde magique où enfin vous auriez été bien, tout aurait été facile, plus d'aide sociale qui vous inquiétait tant, et si quelqu'un allait raconter des choses qui vous feraient perdre le peu d'argent que le gouvernement vous donnait ? Si on vous soupçonnait des activités de malfrats alors que vous n'avez jamais rien fait de mal, payant tous vos comptes le premier de chaque mois. Et ta mère, même si elle me jetait aux oubliettes le plus souvent qu'elle le pouvait, elle réussissait à me faire filer cheap en* éclatant en sanglots parce que je ne voulais pas vous emmener toutes les deux dans mon petit quatre et demie pour m'occuper de vous deux toujours toujours. *Et elle me martelait les tympans avec son désir : « Je suis vieille et ta mère est malade, il n'y a personne pour s'occuper de nous. Emmène-nous avec toi ! Emmène-nous avec toi ! Emmène-nous avec toi !* » *Elle sautait presque sur place comme un enfant qui pique une crise au rayon des jouets. Et si je l'avais fait, si je vous avais prises sous mon aile ? Des années à m'asseoir à vos côtés et à me bercer dans un paysage gris couvert de coulisses de larmes partout sur les murs, le plafond, le plancher, les yeux fixés bien droit sur le néant ou sur toutes les possibilités nuisibles de l'humanité, pas de répit avec les inquiétudes, en créer le plus et le plus vite possible, ne jamais être à court d'arguments, et se bercer jusqu'à l'étourdissement, jusqu'à en faire des trous dans le carrelage. Dans toute cette noirceur, une mort lente, douloureuse, une existence de supplice chinois. J'ai dit non et je vous ai gardées à distance, quitte à être assaillie par des pensées coupables, quitte à me bercer dans ma pièce grise à moi remplie de larmes. Et j'ai tenu mon bout durant des années, en me répétant les paroles de ma psy : « Personne n'a le droit de se sacrifier pour quelqu'un d'autre », même si la tentation a été forte de te prendre avec moi quand ta mère est décédée. Oui, maman, je l'avoue maintenant, j'ai pensé un moment chercher un grand appart et demeurer avec toi, question d'être sûre qu'il ne te manque jamais rien, que tu n'aies plus peur, que tu te sentes entourée, que tu puisses regarder toutes les chaînes du câble que tu ne peux pas t'offrir, que tu participes à mes soupers entre amis, que tu aies enfin une vie heureuse. Mais une petite voix me disait non, ne fais pas ça, tu te perdras. Et c'est probablement ce qui serait arrivé. Surtout à ce moment-là, je ne prenais pas encore de pilules pour le cerveau et je souhaitais trop souvent en finir avec la vie. Un suicide collectif, voilà sans doute ce qui nous serait arrivé. On nous aurait retrouvées pendues dans le placard, le cou enroulé dans une ceinture de cuir, c'est un voisin qui se serait plaint de l'odeur atroce qu'auraient dégagée nos cadavres durant la canicule. Au lieu de ça, j'ai choisi de me réfugier dans les mots, de boire des kilolitres d'alcool, de m'anesthésier pour ne plus ressentir ta détresse, de rigoler avec tous et chacun, de me marier et de partir vivre à l'étranger, le plus loin possible de toi. Même là, alors que je suis de passage dans ta vie pour trois semaines, je trouve encore le moyen de m'éloigner. Je m'éloigne, mais mes pensées se dirigent toujours vers toi. Je suis à Baie-Saint-Paul et j'écris cette lettre même si j'ai travaillé toute la journée sur le scénario du film. J'aimerais tellement ne plus penser à toi, mais c'est plus fort que moi. On dit que tous les chemins mènent à Rome, mais c'est faux. Ils mènent à toi. Aux reliques de mon passé. La senteur. Tu as fait mon lavage avant que je parte, mes vêtements sentent le Downy à plein nez, mes vêtements sentent mon enfance. Les rares fois que tu étais en forme, c'est-à-dire les deux pieds dans la réalité, l'été surtout, et que tu t'affairais à me donner une vie d'enfant ordinaire, tu lavais mes vêtements avec acharnement, tu les lavais presque sur moi, comme si, par ce geste, tu tentais de me purifier. Faire en sorte que les taches de la vie ne m'éclaboussent jamais. Tu as lavé mes vêtements et tu as bien pris soin de réunir mes bas, l'un dans l'autre, geste ultra-maternel. Tu n'étais pas souvent présente pour moi quand j'étais gamine, mais tu me témoignais ton amour en veillant à ce que je n'aie jamais besoin de réclamer mes chaussons au pays des bas perdus. Je ne t'ai pas appelée hier, ni avant-hier, et je ne t'appellerai pas aujourd'hui. Même si je travaille comme une acharnée sur mon scénario, je suis en vacances de toi. J'écris les orteils en éventail.*

# CHAPITRE 6

# Tête de faune

*1937/1938*
*Huile sur toile, 76 cm x 56,5 cm*
*Collection particulière*

Le ciel a le cancer, se dit Léa, le regard perdu dans la fenêtre. En fait, partout où elle regarde, c'est gris, terriblement gris. Quand elle ferme les yeux pour observer dans son ventre, elle voit un fond de poubelle. Quand elle ouvre les yeux pour regarder dans la pièce, c'est encore le même fond de poubelle, intérieur et extérieur, il n'y a pas de différence. On dirait que toute la pollution de l'humanité est concentrée autour d'elle. « Un coq ne chanterait pas à mes côtés, il tousserait ! »

Léa paralyse en dessous de sa courtepointe imperméable à la vie. Elle a comme envie de dormir pendant 344 ans. Et si ça arrivait, qui s'en soucierait ? se demande-t-elle. Certainement pas ma mère. Depuis que tous les thérapeutes s'exclament avec des oh et des ah en chœur chaque fois qu'elle fait un gribouillis, elle passe ses journées aux Impatients. Tous ses dessins tapissent maintenant les murs du centre et ceux de l'infection aussi. Léa est écœurée, d'autant plus que sa mère a dessiné au moins mille fois la grand-mère : la grand-mère au réveil, la grand-mère qui marche, la grand-mère qui enfile ses bas... La grand-mère telle quelle, la même forme du visage, les mêmes yeux gris noyés de tristesse, la même peau flétrie, la même bouche en forme d'arme automatique et les rides, les rides, les rides de la grand-mère. Elle a dessiné aussi sa poule. La poule qui picore, qui dort, qui se sauve par crainte de recevoir un coup de pied au croupion... Midi et Quart aussi a servi de modèle. Midi et Quart brandissant fièrement son squeegee, la tête inclinée sur son épaule gauche. Mais un Midi et Quart ultra-souriant, car il a sa place dans l'infection. Lui et la mère de Léa s'entendent très bien et ils ont de quoi parler : leurs animaux de compagnie. La mère, sa poule et Midi et Quart, son écrevisse. Il s'est mis en tête de devenir le premier dompteur d'écrevisses du monde entier, il veut faire de son écrevisse une grande star de cinéma, il l'a même baptisée Bruce Willis pour la prédisposer à sa réussite ! Léa est écœurée que tout ce beau monde s'entende comme larrons en foire.

Léa a aussi droit à ce traitement de faveur, sa mère l'a dessinée jusqu'à plus soif, jusqu'à lui donner envie de sauter du septième étage. Partout sur les murs il y a ses yeux trop grands pour être réels, ses cheveux rouges qui crient, sa bouche qui ne produit que des niaiseries, elle partout mais sans corps, toujours en petite bonne femme allumette, comme si elle n'avait pas de cœur, comme si elle n'était que des lignes et un visage, un petit satellite perdu dans un ciel trop grand. Léa n'est plus capable de se voir en peinture, elle va donc d'une pièce à l'autre à pas rapides, concentrant son attention sur le plancher sale, tout pour s'éviter. Elle a horreur de l'image que sa mère lui renvoie d'elle : une fille sans cœur. « Mais qu'est-ce que je peux faire? Je ne peux pas l'empêcher de dessiner, quitte à ce qu'elle s'exerce sur ma bouille, si ça peut l'aider...» Léa sait que sa mère est heureuse de produire ses chefs-d'œuvre en série. Elle le voit bien, quand elle dessine, son visage se métamorphose de bonheur, ses yeux s'agrandissent comme des zooms et le bout de sa langue pointe vers son nez, rien ne peut plus l'ébranler, même son monde intérieur semble ne plus avoir d'emprise sur elle, comme s'il était soudainement en vacances à Dubaï. La preuve, pour Léa, est son espèce de tendinite au bras droit, qui la faisait crier comme un camion de pompiers hier, et jamais sa mère ne s'est déplacée pour venir voir dans sa chambre ce qui causait ce raffut, non, elle était trop occupée dans le nouvel univers qui s'ouvre à elle. C'est pour cela qu'elle aime tant ses ateliers de dessin et qu'elle y va même en courant, elle ne réveille plus sa fille pour lui dire qu'elle part, non, elle boit la moitié d'un deux litres de Coke qui a ronflé sur la table toute la nuit, mange des Rice Krispies ou déjeune du plat du jour, enfile ses vêtements à la chienne à Jacques, et s'en va incognito comme si elle volait à sa fille des petits diamants et qu'elle le savait.

Pendant ce temps, Léa s'étiole dans son lit. Elle doit faire un effort monstre pour s'extirper de la chaleur crasse de sa doudou; c'est un acte de bravoure de se balader dans sa vie, songe-t-elle. Une fois debout, elle avale coup sur coup deux cafés noirs très forts, regarde la poule qui la regarde à son tour, puis s'en retourne dans son trou à rats, et là, elle observe par la fenêtre la bande de pseudo-hippies artistes en herbe à poux qui marchent jusqu'au Cégep du Vieux-Montréal. Elle tente de se moquer d'eux, mais en vain, elle a l'impression que son ambition s'est fait la malle. Elle se décourage et finit immanquablement devant son chevalet à tenter de se changer les idées.

Là elle pense à tout ce qu'elle pourrait dessiner : recréer à sa façon les toiles qu'elle a vues dans les livres qu'elle a empruntés à la bibliothèque : « Je pourrais refaire *La Joie de vivre* de Matisse avec des coups de peinture rouge sang sur les bonnes femmes qui se prélassent nues sous les arbres. Ou encore réinventer *La Sieste* de Miró, mais cette fois-ci l'espèce de cerf-volant blanc à robe lancerait des missiles comme les astronefs du jeu vidéo Asteroid qu'on m'avait offert pour mes douze ans, avec la console de jeu Atari, mais dont j'ai dû me départir, parce que ma mère avait peur que les astéroïdes sortent de l'écran. Je pourrais tâter du cubisme et tracer des cubes Rubik partout ou tenter de dessiner des œufs carrés pondus par des poules qui ont subi des chirurgies esthétiques du croupion pour s'adapter au goût du jour, qui change d'idée comme on change de chemise. Et pourquoi ne pas sauter à pieds joints dans l'univers de Marcel Duchamp, aller jouer dans *La Mariée mise à nu par ses célibataires, même*? Ça doit être facile. Après tout, personne n'a jamais trouvé la foutue mariée et encore moins les célibataires dans ce tableau, suffit que je pense à un titre impossible et ça, ça me connaît, j'ai mes lettres de noblesse là-dedans! *Carnage dans une canne de soupe Campbell* ou *Une mère et sa fille dans une infection,* et on y verrait deux taches jaunes entourées de traces couleur bois, ou encore *La Lune dans un HLM,* et si ça ne colle pas, si je n'obtiens pas le succès escompté, je pourrais me rabattre sur une pelle, une tondeuse, un bidet que je signerais de ma main, enfin si cette dernière parvenait à se déplier ». Sa tendinite continue de la faire souffrir, elle peut de moins en moins bouger les doigts, si bien qu'ils sont en train de se recroqueviller vers la paume de sa main. Mais Léa est sûre qu'un jour sa main se redéploiera, et qu'elle trouvera sa voie et pourra peindre de nouveau. D'autant plus qu'elle a beaucoup de temps pour songer à sa future carrière : elle ne travaille plus au Wal-Mart, elle a rendu son tablier. Enfin, elle a conservé le costume, mais elle n'y va plus, elle ne pouvait pas laisser sa mère seule longtemps, elle a trop besoin d'elle. Son ex-patron, le bouledogue, a bien appelé un nombre incalculable de fois comme un hystérique du téléphone pour la faire revenir illico au centre commercial. Léa lui a raccroché au nez chaque fois. Cependant, hier au téléphone, il a eu le temps de lui hurler dans l'oreille qu'il allait tout écrire dans son dossier, faire état de sa mauvaise volonté. « Fais donc ça, si ça te chante, tête de crotte ! » qu'elle a pensé lui dire avant qu'il ne raccroche. Dans quelque temps, elle recevra son premier chèque d'aide sociale comme sa génitrice, elles recevront toutes les deux leurs petites enveloppes à leur nom qu'elles iront encaisser de bonne humeur au guichet automatique. Dans son filet social, elle ne vivra que d'amour, d'eau du robinet et de petits gâteaux Vachon, elle peut se le permettre, car elle est une artiste, après tout, une artiste qui ne perdra plus son temps pour de l'argent insipide, elle ne sera pas la première grande peintre à commencer sa carrière pauvrement, voilà ce qu'elle se dit pour s'encourager, en avalant sa dernière gorgée de café noir.

Elle erre dans l'infection entre les murs qui lui renvoient sa bouille de petite bonne femme allumette sans cœur. Elle a l'impression d'errer comme sa mère a dû le faire toute sa vie, surtout quand elle était seule avec l'ancêtre sur ses derniers milles, avant qu'on doive la remettre pour de bon entre les mains du personnel de l'hôpital. À la fin, la grand-mère était clouée sur son lit, alors un attroupement d'aides du CLSC venait faire son tour chaque jour pour s'assurer qu'elle quittait ce bas monde dans la dignité. L'attroupement du CLSC avait monté son campement dans l'infection, avec cellulaire et poste de commande, même qu'un jour l'équipe de *Découvertes* a débarqué pour y tourner un reportage sur la mort, les journalistes voulaient mettre la grande faucheuse sur pellicule, capter le dernier souffle de vie de la future morte. L'objectif braqué sur le visage tout plissé de l'ancêtre, un spot immense éclairait l'inhumanité de la situation, éclairait la chambre comme pour lui montrer la lumière au bout du tunnel. Mais voilà qu'une chose dont Léa ne se serait jamais doutée s'est produite ! Sa mère, pour une fois dans sa vie, s'est choquée, elle est sortie de ses gonds, elle a éclaté et s'est répandue sur eux comme une furie ! Elle leur a crié de sortir, elle leur a crié les plus belles phrases que Léa n'a jamais entendues de sa bouche.

— Allez-vous-en avec vos caméras et votre besoin d'images-chocs, espèces de vampires ! Vous dérangez les pauvres gens dans leurs derniers moments ! En plus, vous éparpillez toutes les couches de ma mère ! Remballez vos fils et allez vous pendre avec ailleurs que dans notre maison !

Ensuite, elle n'a plus dit un mot, s'est contentée de les pousser en direction de la porte avec énergie, il n'y avait que sa tête qui faisait non non non. Sa mère, c'était son trésor à elle et personne ne devait la toucher. Léa aimerait qu'il y ait quelqu'un sur la terre qui ait envie de la protéger de la sorte, quelqu'un qui l'aiderait à sortir de sa misère. Oui, il y a Midi et Quart, mais elle n'est pas capable. Même s'il est tout attentionné, qu'il lui achète des roses et des boîtes de chocolats, parce qu'il a lu dans un magazine que pour plaire aux filles, il faut leur donner des roses et des boîtes de chocolats. Même s'il est prêt à lui décrocher la lune. Mais Léa n'en a rien à cirer de la lune. Elle, elle veut peindre. Elle veut une existence extraordinaire. Et elle lui a dit l'autre jour d'arrêter de lui donner des roses et des chocolats, qu'elle allait finir par manger les épines et arroser les chocolats s'il continuait, que ce n'est pas de ça qu'elle a besoin, elle, elle veut être comme Picasso. Alors, depuis quelque temps, il se tient à distance et Léa se retrouve encore plus seule, seule avec les *Pages blanches* et ses idées de grande peintre qui la boudent par les temps qui courent. Alors, aussi bien en profiter! Essayons de nous faire des amis! se dit-elle pour s'encourager. Et c'est comme ça qu'un monde aussi merveilleux que celui de Disney lui apparaît, en commençant par lui.

\* \* \*

Il s'appelle Fred Riche et parle sans arrêt, Léa en a le tournis, la nausée au bord des lèvres. Elle regarde la forme que sa bouche adopte et à chaque fin de phrase, elle espère qu'il n'a plus rien à dire, que son cerveau s'est vidé de son suc, elle croise les doigts, en priant tous les saints, mais non, il repart de plus belle, des mots, des mots, des mots, pas de pause, c'est à croire qu'il respire par les cheveux, cet homme, pense-t-elle. Il lui dit qu'il est critique d'art, ça, il lui a déjà dit, qu'il passe ses journées à observer des œuvres, qu'il se lève chaque jour à cinq heures du matin, un coq dans le ventre, afin de plonger dans ses catalogues d'encore plus haut, bien attablé à sa grande table de travail, son livre appuyé sur un autre livre afin que l'angle soit parfait pour ses yeux, il est myope, Fred Riche. Sans ses lunettes, il ne voit pas plus loin que le bout de son monde intérieur, ce sont les milliers de tableaux examinés qui lui ont usé les yeux, toutes ces couleurs que ses pupilles ont avalées qui lui font perdre la vue de jour en jour, de tableau en tableau, mais il ne peut les reposer. C'est donc pour cela qu'il ne sort pas de chez lui, enfin très peu, que pour aller faire son marché à deux pas de sa maison, et son marché ne lui prend pas de temps, il a une diète sévère pour ne pas prendre un kilo : des raisins, des tranches de dinde et des tomates. Il ne boit pas non plus, l'alcool, ce n'est pas bon pour la lecture, « Je risquerais de ne plus me souvenir de ce que j'ai lu la veille, avec un verre ou deux dans le nez, on ne sait jamais, on finit nu avec un abat-jour sur la tête et des Smarties dans le nombril ! Le drame, vous ne pouvez imaginer, Léa ! » Toutefois, il lui offre de l'alcool. Elle terminera la soirée toute nue avec un abat-jour sur la tête et des Smarties dans le nombril, se dit-elle.

Il continue de parler, trop heureux de briller devant une gamine. Léa, elle, a beaucoup de difficulté à le suivre, *Le Jardin des délices terrestres* de Bosch, *Le Radeau de la Méduse* de Géricault, les autoportraits de Van Gogh et de Rembrandt, le conseil de Trente, « Non, jeune fille, le concile de Trente ! » Elle se perd dans son discours, s'entortille dans ses phrases, trébuche sur ses affirmations. Elle qui pensait encore, jusqu'à ce qu'il montre du doigt son inculture, qu'il y avait eu un Moyen Âge au Québec! Mais son ignorance n'a pas l'air d'embêter outre mesure Fred Riche, il aime sa naïveté qui lui permet de briller, et en plus il a la pédagogie en lui, c'est un ancien prof d'art, d'ailleurs, c'est pour cela qu'il a bien voulu la rencontrer.

— Bonsoir... euh... monsieur Riche... Fred Riche!

— Oui. Qui le demande?

— Ça n'a pas d'importance... En fait, si, ça en a, ça dépend pour qui, ça dépend toujours pour qui... J'ai juste envie de parler avec quelqu'un...

— Mais ça ne se fait pas, appeler chez les gens comme ça! Vous me dérangez! J'étais occupé! J'ai une vie, moi! Des obligations! Une maison à payer!

— Qu'est-ce que vous faisiez?

— Je relisais pour la quatrième fois le magnifique livre de Dalí, *Journal d'un génie*... Vous connaissez Salvador Dalí?

— Oui, enfin, pas des masses...

— Quel personnage! Quel grand homme! Quel grand peintre! Même s'il n'a fait en quelque sorte que retravailler des classiques, les trafiquer de manière à les faire siens.

— Oui, mais Picasso avait fait pareil avec *Les Demoiselles d'A...*

— Oui, mais Dalí y a mis sa touche personnelle, sa mollesse en quelque sorte. Sa fameuse montre molle, vous savez comment il en a eu l'idée? En regardant, un soir d'été chaud, un camembert couler à la fin d'un repas. Han! Un camembert! D'ailleurs, un journaliste lui a déjà demandé : « Monsieur Dalí, pourquoi une montre molle et non pas une montre dure?» Et vous savez ce qu'il a répondu? Vous savez?

— Euh… Non!

— «Peu importe que la montre soit molle ou dure, le plus important est qu'elle donne l'heure exacte!» Non mais, vous vous rendez compte! Quel grand homme! Quel génie! Génie de la répartie! Vous voulez un autre exemple de son génie de la répartie?

— Euh…

— Un jour, Dalí était en compagnie de savants qui cherchaient à le mettre en boîte. Un des savants lui a demandé: «Monsieur Dalí, est-ce qu'il y a quelque chose qui vous étonne en ce monde?» Dalí a répondu: «Non.» Le savant a poursuivi: «Non! Et si vous voyiez le soleil se coucher en plein jour, vous ne seriez pas étonné?» Dalí a répondu: «Non.» Le savant n'en revenait pas: «Moi si! Je me dirais que je suis fou!» Et vous savez comment Dalí a conclu cette conversation? En déclarant: «Non, moi, monsieur, si je voyais le soleil se coucher en plein jour, je me dirais que c'est le soleil qui est fou!» Quel sens de la formule! Quel homme! Quel personnage!

— Vous aimez la peinture, monsieur Riche?

— Et comment! Je vis pour la peinture!

— Vous êtes peintre?

— Non, je vis pour la peinture des autres! Je suis critique d'art.

— Ah! Je suis contente!

— Pourquoi? Vous vous intéressez à la peinture, mademoiselle?

— Et comment! Un jour, je serai la plus grande peintre que la terre ait portée!

— Quelle ambition! Vous marchez dans les pas de Dalí! Vous peignez alors? Vous étudiez dans le domaine? Au son de votre voix, j'ai le sentiment que vous ne devez pas être bien bien vieille.

— Non, je ne suis pas vieille vieille, quoique si j'ai l'âge de mon cœur, je date de l'époque des australopithèques, il a tellement été écorché. En tout cas. Et non, je n'étudie pas, pour répondre à votre deuxième question.

— Mais alors, comment comptez-vous devenir une grande peintre sans suivre de cours?

— Les grands peintres ne sont pas tous allés à l'école, à ce que je sache, ils apprenaient en dessinant. Je n'ai pas besoin de l'école, je ne suis pas un petit mouton, bêh bêh.

— Vous n'êtes pas bête, mademoiselle. Pourrais-je savoir qui est votre peintre préféré?

— Picasso!

— Picasso! Ah! Ce n'est pas de la petite bière. D'ailleurs, lui aussi avait la répartie facile. Vous savez que Picasso avait coutume d'inviter beaucoup de monde au restaurant, et pour payer l'addition, il produisait un petit croquis sur un bout de serviette en papier?

— Eh oui... j'ai déjà lu ça quelque...

— Voilà qu'un jour le maître d'hôtel dit à Picasso: «Maître! Maître! Je suis désolé de vous embêter, mais vous avez oublié de signer votre dessin!» Et vous savez ce que Picasso a répondu? «Je veux juste payer l'addition, je ne veux pas acheter le restaurant!» Ah! Ah! Ah! Au fait, pourquoi aimez-vous Picasso? Après tout, c'était un fou qui battait ses femmes, qui ne pensait qu'à lui, qui avait un ego monstrueux.

— J'aime Picasso parce qu'il est...

— Et aussi, c'était un obsédé sexuel, qui a fait de Marie-Thérèse Walter, celle avec qui il a eu Maya, son esclave sexuel. Cette femme l'aimait tellement qu'elle s'est pendue après la mort de Picasso! Oui, Marie-Thérèse Walter… Et vous, comment vous appelez-vous? Quel âge avez-vous? Quelle est la couleur de vos cheveux? de votre grain de peau? de vos lèvres?

— Mes lèvres sont rose rouge. Le grain de ma peau est translucide. Un coup de vent, et on voit le bleu de mes veines. Mes cheveux sont rouges comme une église en feu. J'ai vingt-trois ans et je m'appelle Léa! Voudriez-vous me rencontrer?

— Quand?

— Là, tout de suite!

— Et comment!

C'est ainsi que Fred Riche lui a donné son adresse à cinq chiffres. Il habite dans le nord de l'île, près de la rivière qui sépare Laval de Montréal, l'île que sa mère n'a jamais quittée. La mère de Léa n'a jamais vu la campagne, ni un champ de blé l'été, ni de cocotiers. Léa non plus, elle n'a jamais vu de cocotiers, mais un jour, elle se dit qu'elle aura une maison loin de Montréal, dans les Caraïbes ou à l'île Maurice où on peut dîner en regardant les poissons nager à travers le plancher en vitre, ou encore à Tombouctou dans une plantation de bananes, même si elle ne sait pas où c'est, Tombouctou, c'est exotique et c'est là qu'elle habitera. Elle fera comme Gauguin au loin, elle peindra les bananes qu'elle mangera!

Après une dizaine d'autobus bondés, une marche d'une trentaine de minutes dans des rues silencieuses, elle aboutit enfin chez Fred Riche, devant son immense maison en pierres grises, entourée d'un parterre couvert de neige plus blanche que blanche. Elle se dit que tout est impec ici, tout brille de propreté, un quartier de riches, même les écureuils doivent avoir des cartes de crédit et des yachts sur la rivière des Prairies. Elle enlève les peluches sur les manches de son gros chandail gris. Faut que je fasse bonne impression.

Elle a à peine sonné qu'un œil l'observe dans l'œilleton, un œil gigantesque, inquisiteur, suspicieux, elle a l'impression d'être devant le magicien d'Oz. L'œil crie derrière la porte.

— Vous êtes seule?

— Non, je suis accompagnée par dix de mes amis imaginaires!

Elle entend un rire qui ressemble à un borborygme. Fred Riche ouvre, son œil droit a encore la forme de l'œilleton, ses lunettes glissent sur le bout de son nez. Grand, mince, nerveux, Léa se dit qu'il a quelque chose d'un savant fou, avec ses cheveux en bataille, sa grosse barbe noire très fournie, ses oreilles pointues, quasi des oreilles de démon, et son regard avec des yeux rouges qui scannent comme les rayons laser au-dessus des buildings du centre-ville : partout à la fois. D'ailleurs, il la zyeute d'aplomb de la tête aux pieds, en relevant ses lunettes mécaniquement, il semble rassuré. Elle passe le test d'admission.

— Entrez, mademoiselle, vous êtes la très très bienvenue!

Il l'invite à s'asseoir au salon, lui offre à boire, lui montre illico ses nouvelles acquisitions, comme sa mère, ses courses, pense-t-elle, sauf que lui, au moins, ce n'est pas des gros sacs de chips au vinaigre ou du bacon qu'il veut que je voie, mais des livres. Un livre sur Rubens, un autre sur Vermeer. Et il revient sur son dada du jour, Dalí.

— Avez-vous lu *Gala,* la biographie sur la muse de Dalí? Ou *Journal d'un génie*? Ou encore *La Vie secrète de Salvador Dalí*?

— Euh… Non… Je n…

— D'ailleurs, vous savez par quoi il commence ce livre, Dalí? Attendez que je me rappelle… C'est quelque chose du genre : « À cinq ans, je rêvais d'être cuisinière; à six ans, Napoléon Bonaparte. Depuis, mon ambition n'a jamais cessé.» Vous vous rendez compte, mademoiselle? Quel snobisme! S'il s'était retrouvé devant moi, j'aurais sûrement eu envie de lui arracher la tête! Non mais, pour qui se prenait-il? Un génie! Et il a eu raison, l'enfoiré! Vous voulez qu'on se tutoie?

— Euh… Oui.

— Mais assoyez-vous! Oh, pardon, assieds-toi!

Elle s'assoit dans un des gros fauteuils écrus qui décorent le salon rempli de livres.

— Vous savez combien m'ont coûté ces fauteuils?

— Euh, non…

— Trois mille dollars pièce!

Léa fait un mouvement pour s'asseoir par terre.

— Non, restez là. Vous allez très bien dans ces fauteuils. Ces fauteuils vous donnent de l'éclat, font ressortir votre joli minois, car vous avez un joli minois!

Et Fred Riche n'arrête plus de parler, ce qui change de Midi et Quart qui ne fait que répéter ce qu'elle dit, songe Léa. Fred Riche, quand il parle, c'est un monde magique qui défile devant ses yeux, un monde rempli de toiles, de peintres et d'argent aussi. Il fait beaucoup d'argent, cet homme, il lui montre presque ses relevés bancaires pour le lui prouver, il lui dit qu'il a des milliers et des milliers de dollars en REER, comme s'il était une mariée avec une dot. Soudain, il s'interrompt.

— Mais j'y pense, tu n'as pas peur, Léa, d'aller ainsi chez des hommes que tu ne connais pas?

— Non... euh. Pourquoi? Vous êtes un maniaque? Vous allez me découper en petits morceaux avec un Exacto et manger mon foie et ma rate?

Fred Riche rit d'un rire tonitruant à décaper les plombages, trop fort pour que ce soit sincère, comme s'il dissimulait la face cachée de sa lune derrière son rire. Il cesse brusquement de rire pour lui balancer une niaiserie qu'elle a trop souvent entendue :

— Qui rit trop le vendredi pleure le dimanche!

À voir son visage se décomposer instantanément, il se reprend.

— Vous savez ce qu'a dit Dalí?

Non, elle ne sait pas ce qu'a dit Dalí, mais elle aimerait que lui arrête de dire des choses. Mais bon, dans le fond, son bruit lui fait du bien, son vide est rempli de Dalí, de Gala, de montres molles, de paranoïa critique, tout ça dans le fauteuil Roche-Bobois à 3 000 $ l'unité.

Pendant qu'il continue de lui parler de Dalí, les montres molles coulent sur elle, ses bras sont lourds comme s'ils trempaient dans du camembert chaud, une eau de sommeil la recouvre, ses yeux sont lourds, Dalí, Gala, leur rencontre, Paul Éluard qui se fait larguer par Gala. Elle est Gala tout à coup et Fred Riche est Dalí et elle lui dit de la tuer. Non, elle est Dalí qui se prend pour un prince, un roi dans sa tour, elle est de nouveau Gala qui coud pour gagner quelques sous et permettre à son homme de peindre, non, elle est Dalí, oui, Dalí et elle a du génie, il y a des toiles, des milliers de toiles de toutes les couleurs dans sa tête. Et le verre qui semble se remplir automatiquement. Depuis son arrivée, bien qu'elle boive au moins une gorgée toutes les quinze secondes, son verre est toujours aussi plein. Est-il en train de me soûler pour abuser de ma petite personne? se demande Léa. Est-il en train de me droguer? A-t-il rempli ma coupe de pilules hallucinogènes qui le rendraient encore plus beau à mes yeux? Peuh! Je m'en fous, après tout, qu'il me viole, me tronçonne, me passe à la moissonneuse-batteuse, si ça lui dit, je suis trop bien, je suis juste là à me répandre dans un fauteuil qui coûte la peau des fesses, à côté d'un homme qui a envie de me parler, qui s'occupe de moi, qui est là pour moi, juste pour moi, ça fait du bien. Fred Riche vient s'asseoir près d'elle, Léa dépose sa tête sur ses genoux.

— Repose-toi, repose-toi, belle fille, belle petite abeille fatiguée.

\* \* \*

Léa est dans son lit, en sueur, perdue dans sa grosse courtepointe. Elle ne sait pas comment elle est revenue à la maison, elle ne se rappelle rien. En fait, si, un peu, les buildings de la ville, qui défilent à toute vitesse, les lumières des réverbères, qui forment d'immenses guirlandes, des panneaux publicitaires McDo, Fred Riche qui lui demande où elle habite, qui lui explique que voyant qu'elle dormait d'un profond sommeil, il a décidé de la reconduire, il lui dit qu'il ne profitera jamais d'elle, il aurait pu, elle était si endormie qu'elle n'aurait pas senti sa main sous son chandail, sous sa jupe, il aurait pu et ce n'est pas l'envie qui lui manquait, mais il la respecte, et il veut qu'elle le sache, que s'il y a à se passer quelque chose entre eux, elle sera réveillée et elle l'aura voulu, et lui aussi, il aimerait bien par contre la revoir, si elle le souhaite, bien sûr, il a aimé sa compagnie, sa présence lui était agréable, sa personne est un baume pour ses yeux fatigués, il peut faire quelque chose pour elle, lui enseigner des tas de choses sur les peintres et les toiles et les écoles d'art et l'histoire de l'art, il sera son prof particulier.

Léa se rappelle vaguement ça et les lumières de la ville et le filet d'air qui provient du système de chauffage écœuramment chaud de l'auto dans ses narines. Elle a enfin quelqu'un dans sa vie, qui semble être là pour elle, qui ne lui réclame pas de pousser les continents et de les tenir à bout de bras comme le veut sa mère. Léa est contente. La journée sera moins lourde à porter aujourd'hui, et qui sait, peut-être qu'elle peindra. Sa mère l'attend à la cuisine.

— Dis, Môman, t'as vu Fred Riche hier soir ? Comment l'as-tu trouvé ? Il est beau, hein, Môman, avec sa grosse barbe de faune ?

Sa mère regarde ailleurs et sourit bêtement, stupidement, comme si elle ne savait pas de quoi sa fille parle. Pour elle, on dirait qu'elle habite une autre dimension. Dans sa tête, il n'y a pas de place pour son univers, Léa le sait, l'a toujours su.

— Regarde, Léa ! coupe-t-elle court à ses propos en lui tendant sa nouvelle production en série.

Sa mère a fait un dessin, un autre dessin de sa fille : on la voit, minuscule, tout de noir vêtue. Dans le coin gauche de la feuille blanche, elle est minuscule, avec le désespoir du monde dans les yeux. De longues barres jaunes l'emprisonnent, pendant qu'à l'autre extrémité de la feuille, un démon l'a dans sa mire.

# Septième lettre

Je repense à ce que tu m'as demandé quand je suis arrivée chez toi : « Si tu sors, tu ne vas pas revenir avec des hommes, hein ? » Cette question, qui ne m'a pas frappée d'emblée quand tu l'as posée, me revient inlassablement en tête depuis mon réveil comme une comptine chantée par des enfants turbulents à qui on voudrait donner du Ritalin en guise de Smarties. Mais, maman, ne vois-tu pas que j'ai changé, que j'ai fait des pas de géant vers ma maturité, qu'il y a des lustres que je ne me répands plus dans des lits inconnus, que je ne suis plus cette fille, voire cette chose visqueuse, qui se comportait comme un petit animal libidineux, la croupe en l'air pour recevoir des caresses : fais la belle et tu auras un beau morceau de queue ? Oui, j'ai changé, maman, je n'ai plus besoin des autres pour les dévorer. Sur le conseil de ma psy, je me suis cloîtrée dans un minuscule studio avec vue sur un bloc de schizophrènes, le même endroit que celui que tu avais choisi pour faire un petit nid avec moi bébé, mais qui n'a pas fait long feu, qui est mort dans l'œuf, parce qu'un bébé et des comptes à payer, c'était déjà trop pour toi. *Eh bien, j'habitais derrière — mais ça tu le sais, tu venais souvent me rendre visite à l'improviste pour t'assurer que tu étais toujours ma mère et que je ne m'éloignais pas trop. Cet endroit était mon lieu de reprise en main. C'est là que j'ai passé des soirées assise sur mon lit à regarder mes manques droit dans les yeux, à les affronter un par un, c'était de toute beauté, tu aurais dû voir ça. Chaque soir, ils se présentaient à moi et me chuchotaient à l'oreille que je n'avais qu'à m'habiller, qu'à sortir, qu'à me rendre au bar d'à côté, qu'à ramasser le premier mâle venu et le ramener à la maison pour faire de mon lit un théâtre des mille possibilités. J'aurais empilé des tas d'hommes nus dans mon lit, les uns sur les autres, et une fois utilisés, je les aurais jetés aux ordures avec les mouchoirs et les préservatifs souillés. Bien sûr, il m'est arrivé de craquer et de ramener un éditeur, un serveur, une professeure, un journaliste dans mes draps, mais ce n'était jamais pour combler mes manques, ce n'était que pour un conte des mille et une nuits, à l'aube je leur tranchais leur envie de fréquentations assidues, mes lèvres restaient scellées pour ne pas que je leur fasse des promesses que je n'aurais su tenir. Mes promesses, je me les gardais pour moi, et j'y pensais comme on rêve à des îles paradisiaques : un jour, tu seras bien, tu te trouveras un clown adorable que tu épouseras et tu partiras vivre loin, très loin et enfin tu seras libre. J'y suis presque, il ne me manque plus que la liberté, la vraie liberté, celle où je choisis de te parler, de te voir, de t'avoir pour mère. Aujourd'hui encore, je fais le choix de ne pas te parler. Je ne t'appellerai pas.*

*Le scénario avance. On travaille, la réalisatrice et moi, toujours comme des forcenées, on pige dans mes souvenirs passés, dans* Borderline, *ce roman qui raconte une partie de ma vie. Et pour rendre chaque scène encore plus vraie, je t'ai chouravé des photos de ma vie avec toi entre un an et douze ans, la période cruciale pour un enfant, qui décide de tout, s'il sera un grand physicien ou un tueur en série, s'il aura un tempérament d'Alexandre le Grand et dirigera des armées d'économistes pour conquérir la planète ou s'il sera un petit gros au souffle court, faisant des pirouettes de chien savant derrière son patron dans l'espoir de recevoir des compliments. Ça me fait étrange de te voir en photo, plus jeune que moi, le sourire aux lèvres, les cheveux dégringolant majestueusement sur ta poitrine d'actrice hollywoodienne. Tu étais belle, maman, ciel que tu étais belle! Tu aurais pu avoir tous les hommes de la terre, les mettre à ta main, les amener à t'offrir des tas de cadeaux, tu aurais pu me choisir un père potentiel, pompier ou prof d'université, qui m'aurait dit de l'appeler papa et qui m'aurait permis enfin de vivre ma coupure avec toi, à l'adolescence, en me faisant comprendre que j'étais une belle femme capable de séduction. Ou encore tu aurais pu te faire rétribuer en échange de faveurs sexuelles comme reine du porno. Oui, tu aurais été une actrice porno juste à côté de la chambre de ta mère et les hommes t'auraient donné de l'argent pour que tu m'achètes des tas de cadeaux. Mais tu as choisi de rester seule avec la petite graine dans ton ventre qui poussait et d'enfanter dans le secret, cachant ma naissance à mon géniteur, me faisant passer pour la chose sortie tout droit des testicules de ton frère. Ensuite, voyant ta progéniture trop dérangeante, loin d'être une poupée qu'on habille en rose et qu'on place sur une table* sans craindre qu'elle se jette par terre, tu t'es recroquevillée comme un lézard pris au piège dans un aquarium dont le néon est trop puissant. Tu as laissé la maladie ravager ton beau visage jusqu'à prendre l'allure d'une poupée de cire oubliée dans le fond d'un grenier. Tu as mis de côté ta coquetterie, tout ce qui te faisait envie, les belles robes, le maquillage, les bijoux, pour ne plus porter que des pantalons de nylon trop grands que tu attaches avec des épingles à couche et des pulls couverts de poils de chat. Tu as perdu toute fierté.

Je ne me sens pas correcte de montrer ces photos à la réalisatrice afin qu'on puise dedans pour construire des scènes qui seront vues par des milliers de spectateurs. En me concevant, tu ne te doutais certainement pas que ta vie ne t'appartiendrait plus à ce point. Si tu avais su que la chair de ta chair révélerait ta face obscure, peut-être aurais-tu fait tout en ton pouvoir pour arrêter abruptement cette stupide grossesse, qui au premier trimestre ne se résumait qu'en nausées du matin au soir. Tu te serais enfermée dans la salle de bains, un pied sur le lavabo, l'autre sur le bord de la baignoire, la vulve au-dessus de la cuvette, et tu aurais ravagé l'intérieur de ton utérus avec un cintre, comme une bagnole qu'on essaie d'ouvrir parce qu'on a oublié les clés dans la boîte à gants. Tu vois, c'est un peu ce que je suis en train de faire, me ravager l'intérieur avec mon iBook pour en finir avec toi, même si je sais que jamais tu n'écriras sur moi, que jamais tu ne diras quelque chose de mauvais sur moi.

Oui, l'écriture du scénario avance à grands pas et me force à plonger constamment dans tout ce qu'on a vécu, même si c'est douloureux, il faut que je passe par là, enfin je crois, ça fait partie de mon gros ménage du printemps, j'enlève toute la poussière de toi partout en moi. Une fois le scénario terminé, peut-être que je ne serai plus allergique à rien. Qui sait ? En tout cas, en te tenant à distance, j'ai réussi à ne plus être allergique aux rapports prolongés avec un homme, j'arrive à me créer une famille avec mon mari au dos cassé : lui, moi et le chien. Et on s'entend bien, super bien, comme jamais je ne me suis entendue avec un être humain. Une relation saine dans des corps sains, plus d'histoires de folies amoureuses, de passion dévastatrice où on oublie jusqu'à notre identité pour l'être qu'on désire plus qu'on ne l'aime vraiment. Oui, il m'est arrivé de rencontrer des hommes comme le Fred Riche de Léa, des hommes qui n'étaient pas présents pour moi, qui ne faisaient que se plâtrer sur mon corps comme des enveloppes sans entité. Mais maintenant, c'est fini, je ne ramène plus d'hommes à la maison. Tu n'as rien à craindre, quand je rentrerai de Baie-Saint-Paul, je ne ramènerai qu'un scénario.

# CHAPITRE 7

# Femme au chignon assise

*30 janvier 1951*
*Huile et ripolin sur contreplaqué,*
*108,5 cm x 89,5 cm*
*Paris, Courtesy Galerie Louise Leiris*

Léa est de mauvais poil aujourd'hui. Elle a tenté à plusieurs reprises d'appeler Fred Riche, mais il n'y avait pas de réponse. Elle s'est acharnée sur le téléphone, l'appelant toutes les trente secondes au cas où il serait tout à coup rentré, où il aurait été simplement parti faire l'épicerie, où il serait sous la douche et n'aurait pas entendu la sonnerie. Et elle appelle et elle appelle encore, toujours, à en avoir de la corne aux doigts et aux oreilles. Léa s'inquiète. « J'espère qu'il n'a pas d'afficheur, sinon il verra Léa : 380 appels! Il croira que je suis obsédée et ne voudra peut-être plus me voir. D'ailleurs, c'est peut-être ce qui s'est passé, il a vu sur son afficheur Léa : 380 appels et il craint que je sois aussi timbrée que Glenn Close dans *Fatal Attraction*. Chaque fois que l'appareil sonne, il marche à la manière d'un crabe, longeant les murs, en silence. Peut-être qu'il ne s'intéresse déjà plus à moi, qu'il me trouve finalement insipide, et que je ne suis vouée qu'à plaire à des hommes sans couleur, sans valeur, comme Midi et Quart? » Midi et Quart n'a pas tenu compte de sa demande, de lui laisser du temps pour elle. Il a continué à venir la voir dans l'infection, au grand bonheur de sa génitrice qui déborde d'affection pour lui. Quand il vient, Léa a l'impression que sa mère est heureuse comme si c'était son ami à elle. Elle la regarde sourire de tout son dentier. Elle s'étonne même de la voir gober ses pilules devant lui, en disant: « Je viens de prendre mes vitamines! » et en riant à s'en éclater la rate. C'est le seul étranger qu'elle laisse entrer dans la demeure, dans son monde, elle lui fait confiance, elle lui donnerait le bon Dieu sans confession, elle lui donnerait tout ce qu'elle a, mais comme elle n'a pas grand-chose, elle lui donne de la nourriture, Midi et Quart est content et mange la nourriture de la mère. Midi et Quart est de plus en plus souvent dans le HLM, si bien que même la poule l'a adopté. Elle se juche sur lui et cogne des clous, devant *Santa Barbara* à la télé. Il est vrai que Midi et Quart rend de grands services à Léa et à sa mère. Il fait leurs courses, lave la maison, ce qui n'est pas une mince tache, parce que Léa, en plus de s'occuper de sa mère, doit exprimer sa création, mais comme sa tendinite la fait souffrir, il arrive que sa main ne bouge plus du tout, et ça dure des journées entières. Alors, Léa est incapable de laver la vaisselle. Il lui arrive aussi de tenter de dessiner ou de peindre de la main gauche, mais c'est un carnage, elle finit couverte de peinture, tout comme le sol, les murs, le plafond, les fenêtres. Midi et Quart lave tout. Parfois, elle le laisse même lui laver la figure et les bras, mais elle n'aime pas trop ça, elle n'aime pas les rapprochements, surtout pas avec lui. Elle ne veut pas qu'il se fasse d'idées, elle a d'autres desseins sous la casquette. Son existence sensationnelle, elle doit la préserver, croit-elle, même si sa réalisation peut prendre des années.

Léa s'accroche au téléphone comme à une bouée de sauvetage et elle continue d'appeler Fred Riche, croyant qu'il a peut-être la clé de son musée intérieur. Mais là, elle a peur qu'il se soit barré avec la clé. Plus de nouvelles. Elle se dit que peut-être il faudrait qu'elle arrête de rêver et qu'elle regarde sa vie en face, sa vie de petite souris. Qu'elle se fasse une idée, qu'elle prenne ce qu'on lui offre et qu'elle s'en contente. Qu'elle travaille comme une petite artisane et non plus en agissant en futur génie du pinceau. Mais elle n'y arrive pas, elle n'a que ses rêves pour la défendre contre une vie prévisible et médiocre. Et elle se voit coincée dans cette vie dans laquelle elle se marierait avec Midi et Quart, un homme sans ambition, qui l'aimerait pourtant énormément. Il délaisserait son squeegee pour travailler dans une station-service, et ramènerait très peu d'argent à la maison, mais suffisamment pour qu'elle continue de peindre et qu'elle essaie de monter une première exposition qui leur rapporterait le gros lot. Mais le succès tarderait et l'appel de la société de consommation se ferait de plus en plus pressant, surtout qu'entre-temps ils auraient fait deux enfants à leur image, deux enfants pauvres et perdus. Léa s'assoirait sur ses rêves et endosserait une fois de plus l'habit de caissière dans un supermarché. Elle travaillerait de 9 à 5 et rentrerait épuisée, les jambes et les bras lourds, sur lesquels les enfants tireraient pour lui montrer leurs dessins, lui crier qu'ils ont faim, et pour qu'elle efface les traces du fouillis qu'ils auraient créé à leur retour de l'école. Elle ne parviendrait plus à peindre, plus jamais, et les jours s'écouleraient sur elle comme du mazout, impossible de voler. Un jour, Midi et Quart aurait un infarctus, en changeant la transmission de la BMW d'un critique d'art. Il mourrait dans l'ambulance qui le mènerait à l'hôpital et elle, elle serait coincée pour prendre soin de la marmaille, la nourrir, la laver. Elle aurait vieilli et plus aucun homme ne serait intéressé par ses cheveux rouges qui auraient perdu de leur éclat. On se servirait de son vagin une fois de temps en temps, mais vite, on la délaisserait pour des jeunesses. À quarante ans, elle serait banale, sa vie foutue, ses rêves se seraient fait la malle depuis longtemps. Elle n'aurait plus l'énergie de continuer. Elle irait dans la salle de bains et s'étoufferait avec ses pinceaux. « Il ne faut pas que je plie face aux avances de Midi et Quart ! » Léa fixe droit son but et se concentre sur sa toile, même si ce n'est pas facile, elle se sent seule, tellement seule, trop petite pour qu'on compte sur elle à ce point, et cette tendinite qui s'obstine à la faire souffrir. Tout est contre elle. « Si seulement j'arrivais à tenir mon pinceau normalement, non pas comme une tétraplégique, ou trouvais une posture qui m'aiderait à tracer des lignes avec mon pinceau. » Sa mère se pointe pour lui montrer ses nouvelles créations. Sa mère a dessiné deux petits bonshommes allumettes avec des visages puissants de vérité, qui s'enlacent. Sa mère lui dit que c'est elle et Midi et Quart. Elle lui dit aussi qu'elle aimerait la voir heureuse. Léa a l'impression de fondre sur place, comme si sa mère avait un accès direct à son inconscient et qu'elle ne pouvait rien lui cacher. Sa mère s'en va contente de ses nouvelles créations. Elle doit être fière d'elle. Fière d'avoir semé la pagaille dans mes buts futurs, dans mon rêve de vie sensationnelle, enrage Léa. Elle ne veut pas être heureuse, elle veut être une grande peintre, et là, là seulement, elle sera heureuse. « Pourquoi est-ce si difficile ? » s'écrie-t-elle. Elle a soudainement envie de se faire hara-kiri avec son pinceau pour que tout le monde comprenne qu'elle a la création douloureuse, se faire une césarienne pour sortir la création d'elle et la leur jeter en pleine figure ! Elle hurle à sa mère de lui foutre la paix, d'arrêter de la déranger avec ses belles intentions et surtout avec ses beaux dessins ! La poule crie par-dessus elle. La poule lui rappelle sa grand-mère quand elle essayait de parler à sa mère. Il y a toujours eu une barrière entre elles, quand ce n'était pas l'ancêtre, c'était le monde saugrenu dans sa tête, et là, c'est une poule ! Léa s'agite dans son coin. Elle aimerait tellement que sa mère la laisse tranquille avec ses idées de petite vie. Quand elle était gamine, sa mère lui avait dit : « T'aimerais pas ça, être caissière chez Peoples ? J'te verrais bien ! » Ça lui avait fait tellement mal, c'était comme si sa mère lui disait qu'elle ne valait pas grand-chose, qu'elle était née pour un petit pain et qu'il fallait qu'elle s'en contente, qu'elle ne pense surtout pas réaliser des choses merveilleuses dans sa vie. Non, son existence lui était tombée dessus comme une robe couverte de taches d'encre qui ne s'effaceraient jamais. Ce n'est pas pour rien qu'elle a vite quitté le Wal-Mart, même si sa mère était fière d'elle parce qu'elle avait un emploi de caissière et qu'elle était la première dans la famille à avoir un travail ! « Non, je serai une grande peintre, qu'on se le tienne pour dit ! »

\* \* \*

Plus la journée passe, plus Léa s'enfonce dans son marasme, d'autant plus qu'elle a accepté d'aller au resto avec Midi et Quart. Tout un combat se joue en elle. Une partie d'elle a envie de goûter à une soirée romantique avec un garçon, comme dans les films, le garçon lui apporte un bouquet, lui sourit en la dévorant des yeux, la fait briller comme une étoile. Et le soir, après le resto, il la couche dans un lit et… Mais bon, elle n'est jamais vraiment sortie. Non, Léa n'a jamais encore fait l'amour. Pour sa virginité, par contre, ça fait longtemps qu'elle a réglé le problème avec ses pinceaux. Quand ça tirait trop en elle, quand elle avait le ventre qui bougeait de partout et qu'elle savait que ce n'était pas à cause de la faim, elle a compris qu'il fallait qu'elle touche à cette partie du corps qu'il ne faut pas trop déranger, car ça aussi, ça éparpille toute l'énergie qui sert à créer des tableaux. Elle avait piqué son matelas avec un pinceau et elle s'était assise dessus, en bougeant et en touchant ses seins. C'était comme faire corps avec la création, pensait-elle. Comme si son pinceau chatouillait les rêves enfouis à l'intérieur d'elle, et elle s'était imaginée rampant sur une immense toile, au centre d'une grande salle, nue, devant des tas d'observateurs, en train de créer sa plus belle œuvre, une œuvre faite à partir de son corps. Le corps de l'œuvre. Elle en avait vu des étoiles! Il y avait eu du sang, mais elle s'était empressée de le lécher, allant jusqu'à sucer la tache sur le drap, pour ne pas que sa mère voie ça et qu'elle s'énerve, qu'elle pense que des Martiens étaient venus durant la nuit et qu'ils avaient fait des expériences sur sa fille, en introduisant dans tous ses orifices des tuyaux et des seringues. Mais avec les garçons, elle n'a encore jamais fait la chose. Si Midi et Quart nourrit des idées érotiques sur sa petite personne ce soir, elle pense lui dire: «O.K., tu peux me prendre, mais attache-moi et bande-moi les yeux et ne me demande surtout pas de faire han han!» Comme ça, croit-elle, elle restera intacte dans sa tête pour l'être qui lui est désigné. Les rapports sexuels ne seront pas de sa faute.

Léa ne se sent pas coupable de penser à des choses comme ça, elle n'est plus dans la pureté et elle doit rester dans la pureté. Et pourtant, elle commence à être envahie par des idées de viol avec Midi et Quart, sa bouche immense qui la touche partout, ses yeux noisette qui s'évanouissent entre ses jambes… Ces pensées la déchirent, elle ne pourra jamais être un génie si elle ne dédie pas sa vie à la création… Elle est comme étourdie, elle a mal à la tête, très mal à la tête. Il faut qu'elle s'étende un peu, un tout petit peu…

\* \* \*

Elle a dormi, maintenant elle est prête. Sa robe verte sur le dos, ses cheveux rouges ramenés en chignon, elle attend l'heure fatidique de sa sortie avec Midi et Quart. Sa mère est à côté d'elle et essaie de la dessiner, en écoutant en boucle Joe Dassin!

— Savais-tu, Léa, que Joe Dassin était le frère de Dalida?

— Qu'est-ce que tu me racontes là?

— Oui, t'as jamais remarqué qu'ils louchent tous les deux?

— Môman, voyons! Arrête de me dire des niaiseries tout le temps! Grrr!

Chaque fois, c'est pareil, Léa ne peut pas s'empêcher de crier après sa mère, c'est plus fort qu'elle, et son sentiment de culpabilité aussi est plus fort qu'elle, car la plupart du temps, ce ne sont pas des choses méchantes que lui dit sa mère, que des choses pour être en contact avec sa fille. Et en plus elle est toujours douce et gentille avec elle. Elle regarde Léa comme si elle était la huitième merveille du monde !

— T'es belle, Léa !

— Arrête de me regarder comme ça, Môman ! Tu me mets mal !

C'est vrai qu'elle se sent mal ! Elle a peur d'être prise par un de ces foutus vertiges qui l'assaillent depuis quelque temps. Il lui arrive de voir la vie danser devant elle, et à ce moment-là, elle s'endort, perd la notion du temps et de l'espace. Non, non, il faut qu'elle se concentre, tout va bien aller. Midi et Quart l'amènera manger au resto, il se montrera charmant… Mais si elle essayait de rappeler Fred Riche au cas où…, se dit-elle.

Ciel, il est là ! Fred Riche est là tout en paroles. Il parle et il parle, il dit qu'il était très occupé, qu'il n'était pas chez lui, qu'il était parti dans un autre pays pour le travail. Il lui dit qu'il a férocement envie de la voir, qu'il vient de passer à l'épicerie et qu'il veut lui concocter un petit souper. Soudain, c'est comme si Léa était sauvée, comme si son étoile recommençait à briller. Elle accepte, en se disant tant pis pour Midi et Quart, elle ne peut quand même pas dire non à la promesse d'une vie fabuleuse. Elle se sauve, va attendre Fred Riche en bas de l'infection, en croisant les doigts pour ne pas que Midi et Quart se pointe avant. Elle veut une soirée merveilleuse, elle réglera les problèmes plus tard.

\* \* \*

Fred Riche passe la prendre en bas de l'infection. Il lui sourit tout plein en remontant continuellement ses lunettes sur son nez. Léa a l'impression que sa barbe est encore plus fournie, ses oreilles encore plus pointues, ses yeux plus rouges que la dernière fois, mais ses lèvres, oh, ses lèvres, elles sont d'un rouge sang comme s'il avait passé sa journée à croquer dans des pommes sanglantes.

— Léa, ma belle Léa! Ce soir, je vais te faire manger des bonnes choses. Est-ce que tu as dessiné cette semaine, Léa?

— Euh... Oui.

Quoi lui répondre? se demande-t-elle. Depuis quelque temps, elle n'est plus capable de dessiner à cause de sa tendinite et à cause de sa génitrice qui est toujours là à la narguer avec ses beaux dessins. Elle ne peut pas lui dire la vérité, que les seuls dessins potables sont ceux qu'elle a faits dans sa vie antérieure, quand elle habitait dans la garçonnière, et qu'ils sont loin d'être au point, que ce ne sont que des reproductions banales de sa vie banale.

— J'aimerais beaucoup que tu m'apportes tes dessins, je pourrais t'aider dans tes rêves, Léa!

Léa ne parle pas. Dans la voiture, Fred Riche remplit tous les silences avec ses histoires de peintres, de toiles, de génies plus grands que nature. « Un jour, il dira cela de moi aussi, que je suis une peintre plus grande que nature! » souhaite-t-elle.

À la maison de Fred Riche, Léa est encore perdue dans ses pensées. Elle reste debout près de lui, les bras ballants pendant qu'il s'affaire dans le réfrigérateur à sortir plein de plats.

— Assieds-toi, Léa! Assieds-toi sur mes chaises de cuisine, tu vas voir, on est bien dessus. Elles m'ont coûté 250 $ l'unité! Elles sont en vrai noyer, et la table... Une table comme il ne s'en fait plus, une œuvre d'art conçue par des artisans d'ici.

Elle s'assoit à la table, sur sa chaise à 250 $ l'unité, en regardant Fred Riche vider son frigo. Du gros pain frais, alors qu'elle est tellement habituée au pain Weston tranché, des viandes froides qui n'ont rien à voir avec du baloney, une tourte au poulet, de la laitue déchiquetée de toutes les couleurs. Et toutes sortes de petites vinaigrettes avec des fleurs dans leur pot. Elle trouve que tout a l'air appétissant, mais elle n'a pas faim. Elle a comme une barre de fer dans l'estomac, sûrement parce qu'elle a fait de la peine à Midi et Quart, sûrement aussi parce qu'elle veut tellement plaire à Fred Riche qu'elle en est toute mal. D'autant plus que Fred Riche l'observe avec un sourire de contentement. Lui, quand il la regarde, c'est à s'en sortir les yeux de la tête, songe-t-elle. Elle, à force de le regarder la regarder, elle a l'impression que ses yeux changent de place dans son visage, son œil gauche s'empare de son nez, de son menton! « Il faut que j'arrête d'observer les dessins de Picasso, je vais finir par voir les gens transfigurés comme ses personnages. »

— Tu sais pourquoi, Léa, je ne suis pas devenu peintre alors que j'aime tant la peinture? Parce qu'à la petite école, on nous avait demandé de dessiner notre famille. L'enfer! Ma famille me tapait royalement sur les nerfs! Or, moi, j'avais dessiné une maison, et dans les fenêtres, j'avais mis ma famille, mais soudainement, je n'avais pas eu envie que les autres voient mon monde à moi. Alors, j'avais dessiné des volets clos sur les fenêtres. Je manquais de courage, de « guts » comme vous dites, vous, les jeunes! Mais toi, tu en as, du culot! Juste de m'avoir appelé comme ça et d'avoir voulu me rencontrer sans me connaître, il en faut! Et pour être artiste, on se doit d'avoir un sacré culot!

Léa se sent fragile à côté de lui alors qu'il approche sa chaise à 250 $ l'unité de la sienne pour mettre son bras nerveux autour de ses épaules et pour lui présenter ses grosses lèvres rouge sang. Il insère sa langue d'anguille en elle, qui fouille tout jusqu'à ses amygdales, et il met du cœur à l'ouvrage, ce qui se traduit par des kilolitres de bave dans la petite bouche de Léa. Avec lui, elle ne se sent pas coupable, elle peut se laisser aller, c'est un homme d'art, et elle travaille à son avenir. Elle n'a pas de remords comme elle en aurait eu avec Midi et Quart, qui doit être passé chez elle et s'en être allé la queue entre les jambes, pense-t-elle. Léa se laisse aller, elle se sent toute chose comme quand elle se chatouille avec ses pinceaux, elle pense que ça y est, ils vont faire l'amour. Mais Fred Riche retire sa langue, sa salive, ses dents de sa bouche et met un frein à ses instincts. Il veut lui montrer des dessins qu'il a achetés lors de son voyage.

Il dépose ses dessins doucement comme si chacun était un œuf sur le point d'éclore, des dessins de femmes et d'hommes attachés comme des saucissons, des hommes avec des masques à gaz et le torse nu couvert de cicatrices et des dessins de drôles d'objets aussi.

— Tu sais ce que c'est ça? lui demande-t-il les yeux brillants.

— Euh… non…

— Ce sont des ceintures de chasteté, comme les rois

161

en mettaient à leur reine quand ils partaient conquérir d'autres contrées!

— La tour d'ivoire, ce n'était pas suffisant?

— Elles sont belles, hein, ces ceintures? Que j'aimerais en posséder une!

Et Fred Riche remet sa langue, sa salive et ses dents dans la bouche de Léa, et il l'embrasse, en laissant un œil, le gauche, braqué sur les photos des ceintures de chasteté. Et il cesse de l'embrasser pour lui dire qu'il faut se garder purs pour leur future grande nuit, il jure qu'il l'aidera à sortir son monde intérieur, qu'il l'épaulera dans ses projets, qu'il sera tout à elle pour sa création, il sait ce dont une artiste a besoin! Non pas comme ces garçons ordinaires, qui n'ont rien d'autre à offrir que leur amour! Peuh! Du superflu, ils feraient mieux de se tourner les pouces toute leur vie plutôt que de ne faire qu'aimer! Et il lèche et lèche la petite main recroquevillée de Léa, qui soudainement recommence à lui élancer. Léa ne voit plus clair, elle a comme trop envie de lui, mais son mal de tête revient et fait boum boum boum contre ses tympans. Le vertige lui prend la tête… Fred Riche ira la reconduire. Il sera déçu, elle le sentira. Mais ils se reverront plus tard, ça, c'est certain.

\* \* \*

Dès qu'elle est entrée chez elle, elle s'est couchée. Là, elle se réveille encore une fois perdue dans ses couvertures, en sueur comme si elle avait mené un combat sans merci contre une armée de monstres. Sa mère est assise à côté d'elle. Léa a l'impression qu'elle profite de son malheur, elle est en train de la dessiner. Léa se lève d'un bond de son lit de camp et s'assoit sur une chaise avec son chignon qui pend sur le côté, elle a mal partout comme si une corne lui transperçait l'estomac. Sa mère lui dit qu'elle n'aurait pas dû bouger, qu'elle était en train de la dessiner bien dans sa peau et que ça lui aurait fait une fleur à l'âme de la voir ainsi. Léa lui arrache sa feuille des mains. Après un long silence, sa mère lui dit que Midi et Quart est passé et qu'il a laissé ça pour elle. Un livre sur Picasso. Léa fond en larmes, en se disant qu'elle fait du mal à tous ceux qui l'aiment.

# Huitième lettre

J'envie mes amis dont les parents ne les appellent qu'une fois par semaine, par mois, par année. Annie n'appelle sa mère qu'à l'occasion, surtout quand elle est obsédée par le bruit que fait le métro qui rampe sous son lit. Sa mère lui dit alors des généralités : un tiens vaut mieux que deux tu l'auras, c'est comme ça, ça pourrait être pire, les Éthiopiens n'en ont pas. Jess, lui, a droit à des petits coucous et à des beaux becs de ses parents, jamais de propos inquiétants pour ne pas qu'il se ronge les sangs, même quand l'infarctus n'est pas loin, qu'un pied est déjà bien à plat dans le cercueil. J'envie aussi ceux qui appellent volontairement leurs géniteurs, qui peuvent parler des heures durant à propos de tout ce qui les turlupine. Moi, j'ai droit au pire à chaque appel, c'est pour cela que j'ai pris l'habitude, depuis des années, de ne ponctuer tes phrases que par des mmm mmm mmm, de toute façon, qu'est-ce que je pourrais répliquer au fait que tu achètes des *petits pois Lesieur et des gâteaux Vachon? Je ne te raconte rien de ma vie, car tout te plonge dans des abîmes. Si je te dis que je suis allée faire du ski de fond, tu t'empresses de me dire que tu n'aimes pas ça, que ça te fait peur, qu'il y a des avalanches, que le fils de Pierre Elliott Trudeau est mort à la montagne. «Mais il n'y a pas de danger, maman...» «Non, tu sais pas, tout peut arriver.» «Hier, maman, j'ai lavé mon chien dans le bain.» «Et tes allergies, tu y as fait attention? Es-tu encore ben allergique? Et ton asthme? Il me semble que tu renifles, tu as la grippe d'abord? À moins que ce soit une infection des bronches que tu couves? Tu devrais aller voir le médecin, est-ce qu'il y en a en Suisse, des médecins? Tu devrais te faire soigner avant que ton infection se répande partout dans ton corps et se transforme en cancer, qu'on ne puisse plus te sauver à temps, je ne pourrai pas aller te voir sur ton lit d'hôpital, t'es si loin. Pourquoi t'es partie? Reviens donc. J'ai hâte que tu reviennes. Tu ne m'as pas dit que tu étais enceinte, non? Cette nuit, j'ai rêvé que tu accouchais, le bébé me ressemblait. Je suis en train de te tricoter des chaussons pour bébé, quand tu arriveras avec ton petit, ils seront prêts.» «Mais, maman, je ne suis pas enceinte, je t'...» «Sais-tu si ce sera une petite fille ou un petit garçon? J'aimerais bien que ce soit un petit garçon, ça t'irait mieux, tu as toujours été tomboy, tu grimpais partout quand tu étais petite, tu aurais pu te faire très mal, te blesser à tout jamais, te fracturer le crâne et la DPJ m'aurait accusée de ne pas être une bonne mère, de mal m'occuper de toi, tout le monde m'aurait montrée du doigt, on m'aurait craché au visage, tiré les cheveux, lapidée. Mais reviens donc par ici. Il faut que je le connaisse, cet enfant. Et qui t'aidera à part moi? Tu ne te promènes pas seule dans la rue tard le soir? C'est dangereux.*

*J'aime pas ça que tu sois loin. Il y a un feu quelque part vers Rimouski, j'ai peur pour toi.* » « *Mais, maman, je suis en Suisse, pas à Rimouski!* » « *Pis ça! Reviens donc! Reviens donc! Reviens donc! Je m'ennuie tout le temps. Mais reviens donc!* » *Le moindre geste que je peux faire te plante un couteau dans le cœur. Alors, je me la ferme et te laisse parler toute seule. Parfois, je dépose le combiné et j'en profite pour regarder mes courriels, prendre mon bain, sniffer le restant de sperme de mon mari sur les draps.*

*Ça fait plusieurs jours que je ne t'ai pas appelée, et au lieu de me trouver bonne, hot, libre, je m'inquiète pour toi. Tout à coup on a sonné à ta porte et une bande de junkies est entrée de force chez toi, malgré tes protestations! Peut-être t'ont-ils poussée en rigolant, jusqu'à ce que tu tombes sur le sol, la robe de chambre grande ouverte, ta vieille jaquette de flanelle très échancrée s'est déchirée, révélant l'affreuse dentelle de ton soutien-gorge jauni. Drogués à l'extrême, ils ont décidé d'abuser de toi, te frappant chaque fois que tu te débattais, jusqu'à ce que du sang sorte de ta bouche et que tes jambes deviennent molles, se laissent ouvrir, ils ont tenté de se faufiler dans cet orifice qui ne sert plus à rien depuis la nuit des temps, leur queue comme une râpe à fromage sur ta peau délicate. Une fois qu'ils ont bien profité de ton corps, qu'ils ont éjaculé partout jusque dans tes cheveux, qu'ils ont bu ton deux litres de Coke, mangé tes gâteaux Vachon, fait le tour de l'appart et qu'ils n'ont rien découvert de mirobolant, après tout, tu n'as pas d'argent, ils t'ont attaché les mains dans le dos et t'ont mis la tête dans le bol de toilette jusqu'à ce que tu rendes ton dernier soupir. Tu vois, maman, moi aussi, je peux en créer des scénarios d'horreur, moi aussi, je suis capable d'être une manufacture à inquiétudes. Moi aussi, je suis comme toi. Quand je passe plus de trois jours sans avoir de tes nouvelles, j'ai une envie folle de t'appeler, maman.*

*Et je sais qu'un petit coucou de moi te ferait plaisir, tu te sentirais une mère comblée, une mère désirée, la mère absolue d'une fille à l'amour inconditionnel, autrement ton identité est floue, tu as l'impression que tu pourrais sans difficulté prendre la place de cette tasse sale sur le coin du comptoir. Bien sûr, il y a des photos de moi partout sur tes murs tristes dans ton HLM pour te rappeler ta fonction de mère d'une petite poupoune, mais ce n'est pas assez. Tu la veux près de toi, ta fille, non pas en Suisse, non pas à Baie-Saint-Paul, non pas chez ses amis ou dans des bars louches où tout pourrait lui arriver et bien pire. Et tu essaies de m'amadouer avec ta gentillesse qui m'empoisonne l'existence. Tu ne me dis pas : « Occupe-toi de moi, tu es une fille ingrate, tu ne vois pas souvent ta vieille mère, c'est moi qui t'ai mise au monde, qui t'ai veillée quand tu étais malade, qui t'ai fait faire tes rots qui tardaient trop souvent à se faire entendre, qui ai changé tes couches puantes, qui n'ai pas dormi des nuits entières parce que tu hurlais comme une petite damnée, la bouche ouverte pour permettre à tes dents de pousser plus vite. » Non, toi, tu me dis : « Je m'ennuie tellement. » C'est à ça que j'ai droit, c'est vaste, général, imprécis. Ainsi, tu ne risques pas de te transformer en objet de détestation. Tu es gentille jusqu'au bord du suicide. Au bord de mon suicide. Voilà pourquoi je ne t'appelle pas, parce que ça me donne envie de me jeter en bas de la fenêtre. Je me sens coupable de t'éviter pour m'épargner. Mais tu vois, maman, même si je ne t'appelle pas, je ne fais que penser à toi, penser à tout ce qu'on a raté toutes les deux, la complicité entre mère et fille. Quand j'étais enfant, on aurait pu être proches, être presque amies,* on aurait joué à la poupée ensemble, assises par terre, je t'aurais maquillée avec ton maquillage Lise Watier que tu affectionnais tant quand j'avais onze ans, je t'aurais même coupé les cheveux courts comme mes poupées. À mon adolescence, j'aurais pu connaître ma première cuite avec toi, on aurait bu de la vodka jus d'orange à outrance, à s'en défoncer le foie, et on aurait vomi dans les plats Tupperware de la grand-mère, car on n'aurait pas eu le temps d'aller aux toilettes. Je suis tellement frustrée d'avoir manqué ces merveilleux moments avec toi que même le frigo est au garde-à-vous, même la cuisinière se tient coite dans son coin. Le chalet de Baie-Saint-Paul enfle sous mes pas, je suis sous pression. Tu n'as jamais pris ta place de mère, préférant celle de la parente qu'on doit préserver de tout, qu'on ne doit pas déranger, à qui il faut faire attention comme à du cristal de Baccarat. Tu m'as laissée régler tout, te lavant les mains comme Ponce Pilate de ce qui pouvait être hors de la portée de tes yeux. Tu étais de la chair de lune et il m'était impossible d'abuser de toi. Et moi, la petite chose sortie de ton vagin, je me débattais comme un garçon, comme un homme, comme ton prince charmant et je gueulais comme un camionneur après les méchants qui auraient pu te faire du mal. J'avais même des envies libidineuses à ton endroit. Quand j'étais enfant, maman, je t'aimais follement.

# CHAPITRE 8

# La muse

*1935*
*Huile sur toile, 130 cm x 162 cm*
*Paris, Musée national d'art moderne,*
*Centre Georges-Pompidou*

Léa a l'impression que son cœur est gorgé de bonheur, qu'il est gonflé comme une montgolfière pendant un festival de montgolfières. Elle se voit voler au-dessus de sa vie comme au-dessus d'un champ de soya, voler au-dessus de tout : du visage livide de sa mère, des yeux hagards de sa mère, des pilules de toutes les couleurs de sa mère, des dessins de sa mère. Il y a maintenant un homme qui s'intéresse à elle, et pas n'importe qui, un critique d'art. Fred Riche et elle, c'est du sérieux, pense-t-elle. Ne lui a-t-il pas dit, gardons-nous purs pour notre future grande nuit ? Léa croit que leur rencontre était inscrite dans le ciel ou dans leurs gènes. Fred Riche va m'aider ! se répète-t-elle comme pour se donner de l'assiette, car quelque part en elle, une petite voix lui dit qu'il n'y a rien de coulé dans le béton, qu'il est difficile de reconnaître la sincérité quand on l'a si peu approchée, c'est comme devoir parler arabe alors qu'on n'a jamais appris cette langue. Léa et Fred Riche se sont revus plusieurs fois et ils se sont embrassés à maintes reprises, de plus en plus passionnément, souvent entre deux courants d'histoire de l'art, fréquemment entre le romantisme et le surréalisme qu'il insiste pour bien lui enseigner ! C'est lui qu'elle attendait. Une peintre en devenir ne peut pas viser plus bas qu'un critique d'art, il lui faut une tendre moitié qui reconnaît son univers, qui l'encourage, qui peut être sa muse, l'épauler, la pancréatiser, l'estomaquiser ! Une peintre ne peut pas se laisser choir dans les bras et les jambes du premier venu qui ne comprendrait pas son monde, sa manière d'entrevoir la vie ! La tendre moitié qui partage la vie d'une artiste est très importante, car elle peut influencer sa vision des choses, c'est Gilles Vigneault qui l'a dit, on peut lui faire confiance, quoi qu'il ait dit Tam di li dam dam di li di li dam ! pense Léa.

Elle est convaincue qu'elle a rencontré la bonne personne en Fred Riche, il regarde sa vision des choses avec un œil expérimenté. Il sait quand il faut s'extasier devant un tableau parce que le tableau demande qu'on s'extasie, et non pas parce que c'est de bon goût de faire des arabesques devant la signature du créateur, parce que l'intelligentsia, composée d'intelligentsieux, en a décidé ainsi ! Fred Riche a de l'expérience à revendre, et sans être obnubilé par son savoir, il la laisse libre de trouver sa propre voie ! Il a une tactique bien à lui : tout ce que Léa dit l'émerveille et il crie, il hurle dans ses oreilles : « C'est formidable ! » C'est à ça qu'elle a droit quand elle lui montre les toiles de sa mère, en affirmant que ce sont les siennes. Elle sait que ce n'est pas correct de voler sa mère de la sorte, mais elle a tellement besoin d'épater Fred Riche, qu'il s'intéresse à elle, qu'elle n'a pas le choix d'introduire le talent de sa génitrice dans ses projets amoureux. Elle invite sa mère à se mettre le nez dans sa vie, elle devrait être contente !

La première fois qu'elle a montré un dessin de sa mère à Fred Riche, il l'a trouvé très bien, ce qui a encouragé Léa à dire qu'il était d'elle. Cependant, quand il l'a embrassée, elle a eu l'impression qu'il embrassait sa mère. Depuis, elle essaie de se faire une idée, se répétant : C'est de moi, c'est de moi, c'est de moi tous ces dessins. Fred Riche lui a dit qu'il connaît une galeriste, Paloma, et qu'un jour il la lui présenterait. Léa est comblée, elle a rencontré un homme extraordinaire qui l'aidera dans sa réussite et une nouvelle amie ! Une vraie amie en chair et en os, la première de sa vie ! Et cette amie veut la faire passer à son émission de télé, elle veut l'aider à devenir célèbre. Son amie s'appelle Camille, et Léa la trouve belle comme un paysage qu'elle aurait envie de serrer dans ses bras. Elle est blonde comme un champ de blé et a l'air d'un tableau du Moyen Âge avec ses yeux tristes et tranquilles sans cils et sa peau au grain si parfait qu'elle en mangerait.

L'amitié entre les deux filles est née en l'espace d'un appel, car elle fait partie de ses appels impromptus. Léa se dit que c'est incroyable tout le bonheur que peuvent apporter les *Pages blanches*, il faudra qu'on pense à les canoniser ! Léa a appelé Camille par hasard. La voix de Camille lui a plu immédiatement, elle était calme, une musique de chambre dans les tympans. Tout de suite, Camille a voulu rencontrer Léa, curieuse de voir en peinture le phénomène qui la dérangeait, elle, l'étrange qui appelle des inconnus pour discuter, pour remplir le vide. La curiosité de Camille fait partie de son travail, elle est recherchiste pour une émission de télé. Son amie passe ses journées au téléphone afin de trouver des gens intéressants. Elle a trouvé Léa intéressante, sa petite voix de

Barbie l'a séduite. Pourtant, Camille parle mille fois mieux que Léa, Camille parle tellement bien que lorsqu'elle a quitté son Chicoutimi natal et qu'elle est arrivée à Montréal, en entendant les gens demander un *refill* de café, elle croyait qu'ils ne savaient pas s'exprimer correctement, alors elle s'est empressée de corriger la situation en demandant « un refiltre, je vous prie ». Mais elle n'a pas corrigé Léa quand elles se sont parlé la première fois.

— Excusez-moi de vous appeler comme ça… On ne se connaît pas, mais voilà… J'ai envie de parler.

— Est-ce une farce ! Est-ce que ce sont *Les Insolences d'un téléphone* ?

— Non non non ! Je m'appelle Léa et j'ai envie de parler avec vous… Si ça vous tente, bien sûr.

— Vous n'avez pas d'amie, Léa ?

— Non. Mais j'ai un amoureux qui est critique d'art !

— Ah oui. Et il ne vous parle pas, votre amoureux !

— Ah que si, il me parle, il parle sans arrêt, mais on ne peut pas se voir souvent, il est très occupé, vous comprenez…

— Et vous, que faites-vous ?

— Je m'apprête à être une des plus grandes peintres du monde !

— Rien que ça ! Vous m'intriguez !

— Et vous, qu'est-ce que vous faites dans la vie ?

— Je suis recherchiste.

— Vous devez croiser beaucoup de gens populaires.

— Oui, ça m'arrive, mais vous m'intriguez, mademoiselle. Au fait, quel âge avez-vous ?

— J'ai vingt-trois ans. Et vous ?

— Moi aussi.

— Je ne sais pas pourquoi, mais j'ai envie de vous poser cette question : est-ce que vous êtes belle ?

— Vous en avez de ces questions ! Vraiment, c'est l'appel le plus étrange de toute ma vie, mais comme j'aime les risques, je vais vous répondre. Certains me disent que je le suis, mais moi, je ne trouve pas. Pourquoi ? Vous voulez me dessiner ?

— Pourquoi pas, j'aimerais ça. Je n'ai pas de modèle.

— Je vais vous faire une petite confidence, Léa, j'ai déjà été modèle. Et on me trouvait plaisante à dessiner à cause de mes formes. Les gens qui sont minces, maigres sont souvent difficiles à reproduire à cause des angles et de la lumière qui se réfléchit partout sur la peau. Mais, au fait, mademoiselle, j'aimerais bien vous rencontrer, vraiment, vous m'intriguez.

Et les deux filles se sont donné rendez-vous dans un café. Léa se rend justement à sa rencontre pendant que sa mère est aux Impatients. Pour l'instant, Camille n'est pas encore son amie officiellement, mais Léa souhaite qu'elle le devienne, elle veut une amie et faire tout ce qu'elle a raté par le passé : des pyjamas partys à n'en plus finir, des masques aux concombres en regardant des magazines… Elle se dit qu'elle a du temps d'amitié à rattraper ! Elle veut une amie qui la soutiendra, grâce à qui elle n'aura plus jamais besoin de se cacher dans son ventre quand elle tremble de peur devant le matin qui se pointe le bout du nez avec son lot d'angoisses, de pilules, et de toc toc toc de sa mère contre la porte de son trou à rats : « Ma fille, t'es-tu là ? Ma fille, t'es-tu réveillée ? Ma fille, viens-tu t'occuper de moi, me désennuyer, empêcher l'insécurité et la peur de m'envahir même si je suis un trou sans fond à rassurer, même si je n'ai pas assez de ta vie pour me rassurer ? »

Léa se sent en peine de cœur depuis toujours avec tout, avec la vie au complet, avec les cheveux de sa mère, avec son trou à rats, avec le poteau en avant de chez elle, avec l'insoutenable légèreté de l'autre. C'est horrible dans sa tête, si elle ne se raconte pas des histoires de réussite sociale, elle a l'impression d'être constamment dans une reprise du *Temps d'une paix*, avec Éva, la poule, et deux ti-counes, sa mère et Midi et Quart, qui vient de moins en moins souvent depuis qu'elle lui a posé un lapin avec l'histoire du restaurant, elle lui a brisé le cœur. Voilà ce à quoi elle pense en se rendant à son rendez-vous. Léa se dit qu'elle doit se forcer à être mieux dans sa peau pour lui faire bonne impression, si elle veut qu'elle ait envie de la revoir. « Je tournerai mille fois ma langue dans ma bouche, en introduisant deux doigts entre mes babines avant de parler, ainsi, Camille m'aimera ! »

Pourtant, en arrivant, dès que les deux filles se font signe, que Léa s'assoit devant Camille à la table, elle ne lui cache rien, et elle lui balance tout le discours intérieur qu'elle se tenait avant d'arriver. Elle déverse un flot de paroles, elle se vide de ses angoisses de tout ce qui la fait souffrir sans reprendre son souffle, elle n'a jamais vraiment eu personne à qui se confier. Elle se vide de ses vidanges affectives devant sa nouvelle petite amie qui ne semble pas surprise du tout par ses confidences, qui a même l'air flattée qu'elle cherche la consolation sur ses épaules, car elle aussi ensuite en profite pour lui raconter toute sa vie, tout ce qui la fait ramper dans l'existence, du matin au soir.

— Moi aussi, tu sais, Léa, je n'ai pas eu la vie facile, les fées ne se sont pas penchées sur mon berceau, en tout cas, si elles l'ont fait, c'était pour dégueuler, elles devaient revenir d'une brosse sérieuse! Moi aussi, j'ai mon lot de malheur qui me fait pleurer presque chaque jour! Attends de me connaître un peu plus, Léa, et tu verras la mer de larmes que je déverserai dans tes bras, d'ailleurs, je pleure tellement que je dois prendre des Oméga 3, des hormones de saumon, question de remonter le courant de ma vie, je pleure l'océan parfois juste avant de m'endormir et ça repart le lendemain matin de plus belle, je pleure le pâté chinois que j'ai raté, le prix du lait qui a augmenté de cinq sous, la guerre dans les autres pays, je pleure mes manques, je pleure mon père que je n'ai pas connu. J'ai été élevée par ma mère et mes quatre tantes infirmes qui vomissaient dans leur assiette à l'heure du souper. J'ai été élevée au-dessus d'un dépanneur et quand je voyais les méchantes filles qui se moquaient de moi à l'école, parce que je pleurais beaucoup déjà, je leur crachais des éclairs au chocolat du balcon, dans les cheveux, les éclairs! Je sais me défendre, je sais même me défendre contre mon père inconnu, un soldat blond aryen qui a mis une petite graine dans le ventre de ma mère quand il était de passage à Chicoutimi, ma mère, qui n'a eu qu'une seule fois des relations sexuelles de toute sa vie, m'a conçue à ce moment-là, j'espère au moins qu'elle a eu un orgasme. Depuis, mon père biologique m'envoie une lettre par année, à Noël, et vingt-cinq dollars, et il me dit de ne pas l'appeler chez lui, il ne veut pas que sa femme et ses enfants apprennent mon existence, il me traite comme si j'étais une maîtresse qu'on cache dans un placard, parce qu'on ne veut pas perdre son confort! Tu vois, Léa, moi aussi, ma vie n'est pas facile, ma vie a son lot de terrains minés prêts à m'exploser en pleine gueule à tout bout de champ! Pouf! Elles se parlent comme ça, Camille et Léa, et ça dure toute la journée, elles n'arrivent plus à se quitter. Une chaîne d'amitié les étrangle de bonheur. Léa aime déjà son amie énormément, elle a eu si peu d'attention qu'elle s'attache facilement. Léa aurait envie de mettre Camille dans un landau et de la bercer jusqu'à ce que ses larmes sèchent pour de bon, qu'elle ne soit plus aux prises avec sa peine des origines. À la fin de la journée, après s'être raconté leurs familles, leurs douleurs, toutes les deux se retrouvent chez Camille dans son petit trois et demie rempli de livres, de plantes, son demi-sous-sol enterré en dessous de la vie. Camille pleure et pleure, elle pleure un amoureux, un Bosniaque qui a tué des gens en Bosnie, qui a connu la guerre de près, qui s'est retrouvé dans des tranchées, qui a crevé de faim et qu'elle a nourri de quiches et d'amour, mais qui ne veut plus d'elle, il est reparti semer des bombes de malheur dans le cœur d'autres filles.

— Le pire est qu'il m'a quittée la journée où il devait passer à mon émission de télé, le salaud! J'avais monté un beau dossier sur lui, c'était parfait. On allait entendre un Bosniaque parler des gens qu'il a tués durant la guerre! Mais il ne s'est jamais présenté et il n'est jamais rentré à la maison. Le salaud!

Et Camille pleure et pleure, en lui disant qu'elle en a marre des hommes, qu'elle voudrait placarder son vagin contre tous les pénis de la terre. Et Léa la berce en la tenant avec son bras gauche, sa main droite toujours repliée sur elle-même repose entre ses seins. Sa belle nouvelle amie s'est mise nue devant Léa pour qu'elle la dessine, pour qu'elle lui montre qu'elle a de l'expérience comme modèle. D'ailleurs, dans sa manière d'enlever ses vêtements devant des yeux inconnus, Léa a vu qu'elle avait l'habitude de la chose, pas de badinage, pas de gêne, elle s'est retrouvée nue en moins de deux et elle s'est assise sur son lit et l'a regardée.

— Je t'avais dit que je n'étais pas une grande beauté, que j'avais des formes remplies. Je ne me trouve pas belle.

— Mais non, t'es belle! T'es belle comme une princesse du Moyen Âge déportée dans le futur, ta peau blanche, ton manque de cils, tes cheveux blonds et tes veines bleues comme des rivières de vie sur tes seins… T'es magnifique, t'es le plus beau modèle de la terre. Picasso, j'en suis certaine, aurait été fou de toi, il t'aurait amenée au pied de l'autel et t'aurait obligée à jurer devant Dieu que tu l'aimerais pour toujours, Toulouse-Lautrec aurait boité autour de ton corps et sur ta peau. Rubens aurait fixé la plénitude de ton corps, tu aurais été son oreiller de chair fraîche, lui qui était si fidèle aurait trompé Isabelle et Hélène, les deux seules amours de sa vie, pour toi!

— Mon Dieu que tu as de la culture, Léa!

— J'ai loué des livres à la bibliothèque la semaine dernière!

— On dit « emprunté »!

— Moi, je les rapporte toujours en retard, et je dois payer une amende, c'est pour ça que je dis « loué ».

— Mais que tu me dis de belles choses! Que tu me fais du bien! Je suis contente de t'avoir rencontrée. D'ailleurs, moi aussi, je veux te faire du bien. Je me dis que tu serais un très bon sujet pour notre émission de télé, il faut que je monte quelque chose sur toi : jeune fille dans la misère rêve de peindre ! Ou du goulag au musée ! Je vois ça d'ici !

— Tu crois que c'est possible ?

— Oui ! Oui ! Et ça serait bon pour nos cotes d'écoute, les gens aiment entendre parler de la misère des autres, ça les rassure sur leur condition. Mais parlons d'autre chose. Je veux que nous devenions amies, Léa. Tiens ! J'ai une idée ! Scellons notre amitié, faisons de nous des amies pour toujours, coupons-nous l'index et buvons notre sang !

Camille se coupe le bout de l'index avec une lame de rasoir, qu'elle lui tend ensuite. Malheureusement, avec sa main qui ne veut rien savoir de la vie, Léa a toute la misère du monde à percer sa chair.

— Attends, je vais t'aider. Regarde là-bas l'homme sous mon lit !

— Quoi ?

Et voilà, le tour est joué, une goutte de sang perle sur l'index de Léa. Les deux filles se regardent solennellement et elles enfoncent leurs doigts dans la bouche de l'autre. C'est la fête dans leurs têtes et dans leurs yeux, des guirlandes sortent de leurs bouches, des confettis de leurs phrases amicales, elles sont contentes, contentes. Mais il y a un petit problème, le sang de Léa s'écoule des commissures des lèvres de Camille. Elle lui a coupé trop profondément le bout du doigt, si bien que le sang n'arrête plus de s'égoutter, une mare de sang maintenant se répand sur la peau blanche de Camille et dessine des fleurs étranges.

— Viens dans la salle de bains, Léa, mets ta main au-dessus de la baignoire, laisse couler le tout dedans, nous mettrons un bouchon, et tout à l'heure, quand tu auras fini de t'égoutter goutte à goutte, nous verrons ainsi combien de litres tu as perdus! Mais je te jure que ça va bientôt arrêter, ne t'inquiète pas, la plaie va se refermer comme une porte de grange, comme un coffre-fort, ni vu ni connu! Tu ne t'en rappelleras plus la journée où tu passeras à mon émission de télé!

Mais le sang n'arrête plus de couler, Léa voit rouge, partout où elle regarde, c'est rouge, on dirait que ses iris sont rouges comme ceux des vampires, il y a comme une pellicule de sang qui recouvre ses bras, ses jambes, son ventre, ses cuisses, et qui se transforme en torrent. Soudainement, elle a peur, elle craint que l'amitié remplie d'émotions heureuses que lui cause sa nouvelle amie se retourne contre elle. Léa s'enfuit à toutes jambes de chez son amie, en lui disant qu'elle reviendra, elle la laisse là hébétée dans sa nudité, l'index en l'air, et le mot télé à la bouche, et elle court et court comme une débile. Partout où elle court dans les rues, elle laisse des traces. Ainsi, à la manière du Petit Poucet, elle retrouvera son chemin, elle reviendra chez son amie.

# Neuvième lettre

Je ne peux pas m'en empêcher, même si je travaille toute la journée comme une acharnée sur le scénario, le soir avant de me coucher, je poursuis le roman de Léa et de sa mère. Et plus l'écriture du roman avance, plus une espèce de paix intérieure s'installe. Quand je pense à toi, aujourd'hui, moins de décharges électriques parcourent mon crâne, moins de poussées d'adrénaline, je me ronge moins les ongles jusqu'au sang. Certains trouvent ça idiot, mais moi, je crois à l'écriture thérapeutique, l'écriture qui aide à guérir les plaies psychiques et à passer à autre chose. Comme là, tu vois, je nourris de belles pensées à ton égard, je me laisse envahir par des souvenirs agréables. Quand, enfant, j'avais reçu pour Noël le four miniature Betty Crocker, mais que je n'avais pas pu jouer avec tant que ton mari du moment, mon beau-père, qui n'a fait qu'une virée de cinq ans dans notre famille de folles, n'était pas arrivé à faire cuire un gâteau au chocolat. J'en pleurais de rage. Et toi, tu riais de ça, de voir ton époux se comporter en enfant de dix ans. Tu m'avais prise par la main et, pour me consoler, on avait joué avec tes cadeaux à toi, des bigoudis chauffants, tu m'en avais mis plein la tête pour me faire une tête de Boucle d'Or. Ou encore ces fois où tu me permettais de dormir par terre dans ta chambre à côté de ton matelas, parce que j'avais peur des fantômes qui se cachaient sous mon lit. Puis, mal à l'aise de me voir nuit après nuit regagner ma petite paillasse de fortune, tu m'avais invitée à dormir avec toi et ton mari, entre vous deux, malgré les protestations du beau-père qui me hurlait : « Tu comprendras quand tu seras plus vieille ! » Je pense aussi à nos jeux, à toutes les deux, quand j'avais quatre ans, puisqu'on était pauvres et que tu ne pouvais pas m'acheter tous les jouets de la terre, on s'amusait avec les mots, « Finis toutes tes phrases en A, en E, en I. » Quand je réussissais, tu me félicitais à m'en rendre toute molle. À certains moments, je me dis que ma vocation d'écrivaine a pris racine dans ces jeux de pauvres. Et ces fois où tu étais tellement fière de mes prouesses, autant scolaires que sportives, quand j'avais des A partout ou quand, les soirs d'été, je faisais du patin à roulettes sous les réverbères et que tu te berçais sur le perron, en ayant d'yeux que pour moi, j'étais enfin ta princesse, ton rayon de soleil, ta petite poupoune adorée. Tu vois, maman, l'écriture a cela de bon, elle est en train tout doucement de me réconcilier avec toi. Je laisse Léa se faire avaler par sa mère et par tous ceux qu'elle rencontre. Si je savais conduire et que j'aie une voiture, je partirais de Baie-Saint-Paul et j'irais te rejoindre à toute vitesse, je t'emmènerais manger dans un restaurant italien, un spaghetti bolognaise, et je sourirais en t'écoutant me raconter tes courses, tes inquiétudes, ce que tu as vu aux *infos de 18 heures, et je me féliciterais en secret de ne pas être écœurée par tes propos, de ne pas avoir envie de foncer tout droit dans le four à pizza, je t'accepterais comme tu es, une mère qui a la maladie de l'inquiétude, comme toutes les autres mamans dans le fond. Ensuite, on irait peut-être au cinéma voir un film qui ne t'ébranlerait pas trop. Puis on rentrerait dans ton HLM, on boirait du Coke et on mangerait des gâteaux Vachon, en regardant les infos de 22 heures, et on irait se coucher, je t'inviterais même à dormir avec moi, dans le grand lit de ta mère morte, et on parlerait comme deux amies, comme deux sœurs, je te raconterais toutes nos prouesses sexuelles, à mon mari et moi, on parlerait de vaginite, de tampons, de choses de filles, je te promettrais même de me faire engrosser par mon mari pour toi, en te disant que ce serait notre enfant à nous, l'enfant qui te désennuierait, qui prendrait en quelque sorte ma relève les jours où je travaille trop, et on habiterait ensemble dans une grande maison, toi, mon mari, l'enfant, moi, mon chien et tes deux chats qui empestent, plus jamais tu ne te sentirais seule, isolée, plus jamais tu ne retomberais dans la psychose. Et on enverrait des lettres de poursuites à tous ceux qui t'ont fait des tracas par le passé, on retrouverait, dans les* Pages blanches, *les hommes que tu as fréquentés il y a longtemps, et on leur ferait payer pour ne s'être pas bien occupés de toi, on ruinerait leur vie, on dirait à leur conjointe qu'on est leur maîtresse, on appellerait le fisc pour qu'il fouille dans leurs impôts des années quatre-vingt-dix, sous prétexte qu'il y a eu des fraudes fiscales apparentes, on crèverait les pneus de leur voiture, on kidnapperait même leur progéniture moche, car elle ne serait pas sortie de ton ventre, et on la vendrait sur Internet à des couples infertiles. Et si certains d'entre eux ont* eu la mauvaise idée de mourir, on exhumerait leur cadavre pour donner leurs os à des chiens errants. Si mes belles paroles te faisaient pleurer, je lécherais chacune de tes larmes qui auraient un goût d'aspartame. Et on s'enlacerait. Même que je parviendrais à te donner un baiser sur le front en te disant : « Bonne nuit, maman. Je t'aime. »

Aujourd'hui, je te pardonne d'avoir été folle chaque jour de ta vie.

CHAPITRE 9

# Le charnier

*Paris, (1944-)1945*
*Huile et fusain sur toile, 199,8 cm x 250,1 cm*
*New York, The Museum of Modern Art*

Ça lui a pris toute sa petite monnaie pour se rendre à la galerie Paloma, 2,50 $, le prix de son billet de métro, et maintenant ses poches sont vides. Léa se dit qu'elle a mis tous ses œufs dans le même panier et elle espère qu'il ne va pas se percer, car elle a misé gros. Elle a pris les *Pages blanches* et elle s'est dit qu'elle allait faire une artiste d'elle-même, en allant voir la galeriste que Fred Riche connaît, Paloma. Fred Riche n'est pas au courant, Léa agit par nécessité. Elle veut vendre les dessins de sa mère pour qu'enfin elles puissent mettre du beurre sur leur pain quotidien. Camille, sa nouvelle amie, l'a fortement encouragée à passer à l'action, c'est même elle qui lui a mis la puce à l'oreille, en lui disant qu'il n'y avait aucun mal à ce qu'elle se fasse passer pour sa mère, qui le saura, que d'autres artistes avaient déjà agi de la sorte, il n'y a qu'à penser au neveu de Romain Gary. Camille lui a aussi dit qu'elle avait tout à fait le droit de piquer l'univers de sa mère, celle-ci lui a bien volé sa vie. « Les parents doivent payer pour les enfants qu'ils ont mis au monde et qu'ils ont foutus dans l'embarras, comme mon salaud de père », s'est emportée

Camille. Elle a donc poussé Léa dans le dos avec ses deux bras et sa tête à la manière d'un gros bouc furieux pour qu'elle aille à la galerie. Camille a de la suite dans les idées, elle a dit à son amie que si ses dessins se vendent, ça sera encore mieux pour son émission de télé : jeune génie qui vit dans la pauvreté extrême et qui crée de la beauté ! Une rose dans un tas de fumier, wow ! Léa se voit à l'émission de télé, sous les feux de la rampe, à briller devant tout le monde, elle se voit dissertant sur ses productions devant des milliers de téléspectateurs éblouis. Elle s'y voit tellement bien.

Léa se retrouve dans le Vieux-Montréal, devant la galerie Paloma, un endroit qu'elle trouve monstrueusement chic. Tout la gêne, même la poignée de porte l'impressionne, mais Léa, portée par ses rêves de réussite et d'émissions de télé, prend son courage à deux mains et pénètre dans la galerie comme dans un autre univers. Elle se fait penser à Alice au pays des merveilles et elle s'apprête à rencontrer un chat invisible, un œuf en complet-veston et un lièvre caféinomane. Mais il n'y a pas de lapin pressé, ni d'œuf en costume et encore moins de chat invisible. Il n'y a que des tableaux qu'elle ne voit pas vraiment, elle se sent si peu à sa place, ses yeux s'embrouillent, elle songe qu'elle ne devrait pas être là, ses vêtements ne sont pas assez beaux pour cet endroit, on la prendra pour une quêteuse avec son vieux manteau de laine couvert de mousses, on lui lancera des vingt-cinq cents par la tête en lui criant : « Va te faire couper les cheveux, maudite pouilleuse ! »

Une dame s'approche d'elle, une dame sans âge, quelque part entre dix-huit et cinquante ans. Elle lui sourit.

— Est-ce que je peux vous aider ? lui dit-elle avec une voix douce qui fait chaud dans son dos.

Léa a de la misère à parler, elle aimerait incendier l'endroit.

— Je vois que vous avez apporté des dessins ? Vous voulez me les montrer ?

Léa fait signe que oui.

— Voyons voir !

La dame prend les dessins et les dépose tout doucement sur l'immense table en bois massif. Elle les regarde attentivement, en opinant du bonnet.

— Mmm… C'est vous qui les avez faits ?

— Euh… oui ! Est-ce que vous les prenez ? Est-ce que vous pouvez les vendre ? J'ai besoin d'argent… C'est Fred Riche qui m'a dit de venir.

Léa n'est plus à un mensonge près.

— Je ne peux pas prendre de décision seule. Je dois montrer vos œuvres aux autres personnes qui travaillent à la galerie avec moi. Mais je vous appellerai bientôt.

Léa sort de la galerie avec un sourire qui lui fend le visage en deux. Elle est si heureuse. Mais son bonheur est de courte durée. De retour à la maison, sa mère est dans le HLM, elle n'est pas allée aux Impatients. Elle est en petite boule sur le plancher et tient sa poule qui crie en se débattant. Elle engueule une bouteille de shampoing posée à côté d'elle. Aujourd'hui, sa mère n'a pas le cœur à l'ouvrage, aujourd'hui, elle a le cœur en bouillie, qu'elle dit, entre deux cris de la poule ! Quand elle aperçoit Léa, elle la regarde avec des yeux apeurés.

— Léa ! J'ai vu aux informations du midi des choses horribles, des choses qui ne se disent pas ! L'homme est méchant pour l'homme et encore plus pour le chien! Tantôt aux nouvelles, ils ont montré des golden retriever aveugles, qui auraient besoin de guides pour les conduire dans la vie, ces chiens ont perdu la vue à la suite d'expériences diaboliques en laboratoire, du shampoing dans les yeux! J'veux plus jamais me laver les cheveux, Léa!

— Mais, Môman, on achètera du shampoing qui n'a pas été testé sur des animaux! Tout peut s'arranger!

— L'homme est cruel, ma fille, on ne devrait plus sortir! Tire les rideaux!

— Mais, Môman!

— Tire les rideaux, j'te dis, on peut nous voir et vouloir tester du shampoing dans nos yeux!

— Môman, enlève-toi ces idées de la tête! Viens, je vais te reconduire aux Impatients, ça te fera du bien, ça te changera les idées!

— Non, j'veux plus y retourner! Là aussi, on raconte des choses étranges! Savais-tu, Léa, qu'on enferme des chatons dans des pots en vitre où il n'y a qu'un trou pour la bouche et un trou pour les cacas et les pipis? Ces pauvres minous grandissent dans des pots comme s'il s'agissait de bonsaïs, ils se déforment, tous leurs muscles sont atrophiés, tous leurs os mutilés. C'est horrible, Léa, ils ont des têtes de monstres! J'veux plus sortir!

Sa mère se claquemure dans sa tête. Léa a beau lui parler, tenter de la raisonner, rien n'y fait. Sa mère n'est plus là. « Maudit! Et moi qui viens d'aller porter ses dessins, et s'ils trouvent preneur? Je devrai en apporter d'autres, mais si ma mère ne peut plus produire ses chefs-d'œuvre en série, on est perdues! C'est déjà la fin des haricots avant même qu'on s'en sorte! Mais pourquoi les choses vont toujours de travers ? Pourquoi ma mère s'amuse-t-elle à me mettre des bâtons dans la roue de fortune ? Pourquoi ? Pourquoi ? » Pendant que Léa se lamente sur son avenir, sur le fait aussi qu'elles n'ont presque plus rien à manger, elle ne voit pas sa mère se lever, marcher vers la cuisine, déposer sa poule en partie déplumée sur la table. Elle ne voit pas sa mère fouiller dans l'armoire et prendre les pots de peinture. Non, quand Léa lève les yeux, il est déjà trop tard, sa mère est bleue. Elle a avalé de la peinture.

* * *

Ça a pris quelques jours et tout est rentré dans l'ordre, comme avant, enfin presque, mis à part le fait que Léa s'est fait engueuler par le docteur Robert.

— Vous ne devez pas la laisser seule ! Vous devez toujours la surveiller de près, veiller à ce qu'elle ne se fasse aucun mal, veiller à son bien-être ! Je vous avais fait confiance, Léa ! Vous m'aviez dit que vous étiez capable de bien prendre soin de votre mère, et la première chose que j'apprends, elle est à l'hôpital pour se faire faire un lavage d'estomac ! Ensuite on me dit qu'elle est dans un état de psychose avancé, qu'elle ne prend plus ses pilules depuis plusieurs jours ! Vous êtes une irresponsable, Léa ! Une incapable ! Une petite morveuse !

Ça, il ne l'a pas dit, mais comme il lui parlait de la manière dont sa grand-mère avait coutume de le faire, Léa est certaine qu'il n'en pensait pas moins. Le docteur Robert a prescrit à sa mère des tas et des tas de pilules et mère et fille sont sorties du bureau avec un calepin d'ordonnances en main. Là, ça va un peu mieux, sa mère a repris le cours de sa vie, elle est retournée aux Impatients et continue sa production de chefs-d'œuvre en série, ce qui rassure Léa sur la stabilité de son état psychique, d'autant plus qu'elle lui a dit qu'elle travaillait sur sa surprise de Noël. Car Noël approche à grands pas, Léa entend ses grelots chaque fois qu'elle sort dans la rue, ce qui n'est pas pour calmer son état dépressif. La déprime lui colle à la semelle comme un chien errant. Léa aimerait voir Fred Riche, mais il est en voyage d'affaires. Léa et sa mère sont à court d'argent, et la dame de la galerie n'a toujours pas appelé pour lui dire ce qu'il en était des dessins de sa mère. Comment on va passer Noël? se demande Léa. Qu'est-ce qu'on va pouvoir manger? Elle n'a pas un sou pour acheter un petit quelque chose à sa mère. Elle a beau avoir envie de lui arracher la tête les trois quarts du temps, elle voudrait quand même lui acheter quelque chose. « C'est étrange, pense-t-elle, mais moi, je peux bien passer Noël au neutre. D'ailleurs, si je le pouvais, j'emballerais mes émotions dans du papier-cadeau pour ne les déballer qu'après le temps des fêtes, question de ne rien ressentir durant cette période qui vous jette vos manques en pleine gueule. Mais ma mère, maudit que j'aimerais pouvoir lui faire vivre quelque chose de spécial, un beau Noël comme elle n'en a jamais eu, un beau Noël pour qu'elle sache que je ne suis pas une fille sans cœur. Et pourquoi elle n'appelle pas, la dame de la galerie? Pourtant, elle a gardé les dessins, elle les a donc trouvés bons! Tout à coup elle les a vendus et a gardé l'argent pour elle et se trouve quelque part au Mexique en train de se faire bronzer le derrière sur une plage ensoleillée en buvant de la téquila ? Peut-être qu'elle n'a pas vu tout le talent de ma mère ? Peut-être que je me raconte encore des histoires, moi qui suis si bonne là-dedans ? Peut-être que la dame de la galerie a deviné que tout ça n'était que chimère, que j'étais une menteuse finie, prête à vendre ma mère pour me faire un nom ? »

Pendant qu'elle s'inquiète, on sonne à la porte. Livraison d'un panier de Noël ! Sa mère y a pensé ! Elle a pensé à leur faire passer un merveilleux Noël, avec la nourriture dont les autres ne veulent plus. Léa a honte, la honte lui lève le cœur. En un coup de vent, elle se retrouve cachée sous son lit de camp dans son trou à rats, pas question qu'on la voie et surtout que ses yeux croisent ceux de l'homme qui vient leur livrer fièrement ce cadeau de pauvres. Elle ne peut pas souffrir le regard de pitié que ces livreurs leur jettent depuis toujours, à chaque Noël, un regard qui baigne dans la tendresse, la pitié et la fierté de savoir qu'il y a pire que soi dans la vie, ça l'écœure, ça l'écœure. Ça l'écœure tellement qu'elle se bouche les oreilles avec sa main et son épaule et elle attend que la manne passe. Elle attend si longtemps qu'elle s'endort, épuisée par toutes les émotions de ces derniers temps, sa vie est si exténuante.

Quand elle se réveille, il y a une odeur merveilleuse dans l'infection. Une bonne odeur de dinde juteuse, qui change de l'odeur de désarroi qui rôde toujours entre ces murs. Sa mère l'attend souriante dans le salon, assise devant le téléviseur éteint sur lequel repose feu Miaou, le chat empaillé, elle sourit de tout son être. Sa mère a décoré la pièce, elle a accroché des dessins de boules de Noël partout sur les murs et a même dessiné un sapin. Quand elle voit sa fille, elle dépose un disque de Noël sur le tourne-disque et se met à chanter *Vive le vent,* sa chanson préférée du temps des fêtes, accompagnée des caquètements de sa poule qui prend de plus en plus de poids à force de se gaver des coquerelles qui courent partout.

— Joyeux Noël, ma fille, et bonne et heureuse année, dit-elle en lui tendant une petite et une grosse boîtes enveloppées avec soin.

C'est Noël et Léa n'a rien pour sa mère, elle n'a même pas pu lui préparer une belle soirée avec un cadeau. C'est sa mère qui s'est occupée de tout, c'est elle qui a appelé pour qu'elles reçoivent un panier de nourriture, à la manière de l'ancêtre qui avait coutume de le faire chaque année, c'est elle qui a pris en main la préparation d'un repas des fêtes, une petite dinde, de la sauce brune, des patates pilées, c'est elle qui a pensé à tout !

— Tiens, Léa, ouvre la petite boîte. Ouvre-la ! C'est pour toi !

Léa ouvre la petite boîte enveloppée avec soin. Elle la déballe en faisant attention à ne pas déchirer le beau papier.

— Môman… Un livre sur Picasso !

— Oui, t'es contente, hein ?

— Mais il est en grec !

— Ça va être plus instructif !

Puis sa mère lui tend l'autre boîte, la plus grosse, et trépigne comme une petite fille pour qu'elle l'ouvre. À l'intérieur, il y a une autre boîte, toute petite.

— La grosse boîte, c'est une blague, c'est drôle, hein ?

Léa ouvre la plus petite et y découvre une bague minuscule.

— Mais, Môman, la bague est trop petite !

— Oui, c'est ta bague de quand t'étais bébé, c'est pour ça, la petite chaîne, pour que tu puisses la mettre autour du cou. Je l'ai toujours gardée près de moi. Il fallait que j'aie ma fille près de moi, même quand j'étais à l'hôpital, je la serrais très fort parce que j'avais hâte de te retrouver.

Puis sa mère se lève, suivie de sa poule, s'installe à la table et s'absorbe dans sa production de chefs-d'œuvre en série. Léa reste là, en plein milieu du salon, devant le téléviseur éteint et feu Miaou, le chat empaillé. Elle serre très fort la bague dans son poing à en avoir les jointures blanches et regarde la grosse boîte éventrée. Elle a soudainement envie de se cacher à l'intérieur et d'y rester pour le restant de ses jours. Un trou pour se nourrir, un trou pour l'élimination. Après un certain temps, ses os et ses muscles se déformeraient, s'atrophieraient et peut-être ses sentiments aussi.

# Dixième lettre

Je ne t'ai pas appelée de Baie-Saint-Paul, et pour prolonger la torture, j'ai fait un détour chez une amie, vingt-quatre heures à sa maison de campagne, avant d'aboutir chez toi. Dans mes pensées tout allait bien, tu avais dû t'affairer à tes minuscules activités : manger, dormir, faire des courses, regarder les infos, flatter les deux chats, t'ennuyer, jongler avec tes inquiétudes, bref, ton quotidien. Dans mon esprit, tu étais à la veille de revoir une fille toute neuve, à l'épreuve de ton anxiété et de tes peurs, prête à te faire rigoler et à ne plus te crêper le chignon dès que tu as une petite hallucination. Je me disais qu'un jour de plus, ce n'est pas grave, tu seras tellement contente de me voir que tu oublieras vite que j'ai étiré d'une journée ma semaine de travail loin de toi. Je ne t'ai pas appelée de la semaine, mais j'aurais dû. Tout allait mal pour toi et je ne le savais pas, j'aurais peut-être pu faire quelque chose : te venir en aide, te sortir, te faire prendre l'air, *saccager ta maison, te jeter en bas du septième, m'ouvrir les veines, te prendre dans mes bras et te dire que tout va bien aller. Tu ne dors plus, je ne sais pas depuis combien de jours, tu ne t'alimentes plus non plus. Tu as maigri, on voit les os de ton squelette dans ton visage, tu restes assise dans le noir à regarder fixement devant toi avec tes yeux ronds comme des pamplemousses, tu ne parles plus. Ça me prend tout pour savoir ce qui s'est passé, ce qui t'a mise dans un état pareil. La voisine t'a engueulée. Elle a dit que son appart était envahi de coquerelles et que ces intruses venaient de chez toi, qu'elle fait désinfecter régulièrement et qu'elle n'en peut plus, qu'il faudrait que tu fasses quelque chose toi aussi, après tout, elle a peur des coquerelles, elle est vieille et fatiguée de vider ses armoires, de déplacer ses meubles pour permettre à l'exterminateur de répandre son produit partout. Et le produit sent le calvaire, il lui donne des migraines durant des semaines. Qu'il faut que tu fasses désinfecter toi aussi. Qu'à elle seule, elle ne peut pas y parvenir. Elle ne peut pas faire désinfecter tout l'immeuble, elle seule. En colère, elle te l'a crié par la tête, et te connaissant, tu n'as sûrement pas parlé, tu as dû regarder par terre. La seule chose que tu as trouvée pour te faire pardonner a été de lui donner une cigarette, convaincue qu'elle était nerveuse parce qu'elle vient de cesser de fumer, puis, une fois la porte fermée, et la voisine retournée chez elle, tu as appelé à ton tour l'exterminateur, tu as vidé tes armoires, déplacé tes meubles pour que, lorsqu'il passera, il puisse répandre son produit partout. Tous tes effets sont au centre du salon et toi aussi, il passera demain, l'exterminateur. Pour l'instant, je dois te faire manger, je dois te faire dormir. Je pars en courant te chercher du McDo. Sous la pluie, je cours, je cours, sans parapluie, je dois m'occuper de toi, car j'ai voulu t'effacer de ma vie cette semaine. Tu prends quelques petites bouchées de ton Big Mac en mâchant les lèvres serrées et tu regardes fixement devant toi. Tu n'es plus là, tu es comme dans un coma léthargique que je connais trop bien. « Ça ne va pas bien, maman?» Tu ne réponds pas. Tu continues de regarder fixement devant toi. « Est-ce qu'il y a quelque chose que je peux faire pour toi? Maman, je ne peux pas te laisser comme ça, j'ai un avion à prendre bientôt, je ne veux pas être au loin et m'inquiéter toujours toujours. Au moins, maman, va te coucher, fais-moi plaisir, force-toi à prendre du mieux.» Tu te lèves et vas t'étendre sur mon lit. «Mais, maman, tu as ton lit à toi.» Tu te relèves comme un petit automate et tu vas t'étendre sur ton lit, couchée par-dessus les couvertures, bien droite, les yeux rivés au plafond. Je reste dans la cuisine, les pieds ramenés sur la chaise, les coquerelles courent sur les murs. J'attends une heure, deux heures, trois heures comme ça. En silence. En inquiétude. Tu te lèves et viens t'asseoir à côté de moi dans le noir, tu n'as pas dormi. « Est-ce que tu prends tes pilules comme il faut?» Tu me montres ta petite boîte de médicaments dans laquelle sont placées toutes les pilules que tu dois prendre, au total trente-cinq pilules par semaine. Tu me montres que tu les as bien prises. «Pourquoi ça ne marche pas, d'abord? Tu es certaine que tu n'as pas entendu de voix te dire de ne plus les prendre?» Tu fais signe que oui. «Tu as peur, d'abord, maman? Qu'est-ce qui te fait peur?» Tu réponds que c'est la voisine, qu'elle te trouble parfois. J'ai envie d'aller cogner à sa porte et de lui sauter au cou quand elle répondra, de lui planter mes ongles dans le dos et dans les yeux parce qu'elle t'a rendue malade. Enfin, je commençais à être bien, j'étais sur le point d'être libérée de toi, j'avais presque fini de passer l'aspirateur dans mes mauvais souvenirs. Mais je ne peux pas lui en vouloir, à la voisine. Le pire est qu'elle a raison, la vieille chipie, il faut toujours te brasser pour que tu passes à l'action, te mettre un couteau sur la gorge pour que tu bouges, autrement tu laisses tout faire. Et tu trembles de tout ton être devant moi, tes mains sont bleues, tu dois être gelée, je vais dans ta chambre et te mets ta veste autour des épaules. Tu te lèves et tu me prends dans tes bras en me disant : « J'ai peur quand t'es pas là. »*

CHAPITRE 10

# Couple

*Mougins, 23 décembre 1970 — 25 juin 1971*
*Huile sur contreplaqué, 163,5 cm x 131,5 cm*
*Paris, Musée Picasso, donation Jacqueline Picasso*

Il doit y avoir andouille sous roche! se dit Léa. Fred Riche n'est pas comme d'habitude. En temps normal, dès qu'elle arrive dans sa belle maison cossue, il met la cassette en marche, il parle à lui en donner le tournis. Il lui explique des tas de choses sur l'art, lui raconte des anecdotes sur les peintres, du genre : « Ah, maître! J'aimerais tellement que vous me peigniez! dit la femme à Picasso. Donnez-moi un peigne et je le ferai, répondit Picasso à la femme.» Il conseille des bouquins à sa jeune protégée, des bouquins qu'il commente allègrement, sans se soucier si elle suit oui ou non ses propos, et Léa le regarde briller, de toute façon, c'est ce qu'il cherche après tout. Fred Riche lui dit que si elle l'écoute, il en fera un génie, la plus spectaculaire des peintres que la terre ait portée, elle se hissera sur les épaules des plus grands, elle sera comme le nain sur la tête du géant, elle finira immanquablement par voir encore plus loin, elle verra à travers les humains, à travers les montagnes, à travers les roches, à travers la terre, quand elle regardera au sol, elle verra le Japon, quand elle regardera au ciel, elle verra les satellites, quand elle regardera son voisin, elle verra sa haine et sa douleur aussi, elle sera quelqu'un, elle est quelqu'un et elle mérite qu'on s'occupe d'elle au repos, au boulot et dans les loisirs. Et il la serre dans ses bras longtemps et si fort qu'il se retrouve presque dans son dos, il lui donne des baisers partout tout gluants, enfonce sa langue mouillée dans sa bouche, sa langue agitée comme une petite anguille qui se tord de plaisir, car il continue, même en pareilles circonstances, de parler. C'est plus fort que lui, s'il ne parle pas, c'est comme s'il n'existait pas, et il a bien raison, si Léa n'entend pas sa voix et qu'elle ferme les yeux, elle a l'impression elle aussi qu'il n'existe pas.

Mais aujourd'hui, Fred Riche va plus loin encore dans ses propos qui font chaud dans le dos de Léa. Il lui dit que c'est une histoire d'amour, eux deux, il en est sûr et certain maintenant, non pas qu'il n'en était pas sûr et certain il y a quelque temps, mais là, c'est différent, il la sent prête à passer à une autre étape de leur relation, à une union en bonne et due forme... Léa entend déjà le mot mariage, elle s'imagine enfin avec quelqu'un sur qui s'appuyer, elle se voit déjà en train de déménager avec sa mère dans la belle maison de Fred Riche où elles seront à l'abri du besoin, et là enfin, elle pourra s'adonner la tête en paix à tout ce qu'elle a toujours voulu faire : de l'art et devenir une HHHartiste avec un grand H ! Elle aime tellement ce qu'il lui dit qu'elle en est molle comme du coton, car ce sont des choses qu'elle a toujours voulu entendre, il lui dit qu'elle est belle, gentille, fine, intelligente... Fred Riche n'aurait même pas besoin de dépenser autant sa salive, elle est déjà toute à lui, pense-t-elle. Mais il tient encore à épicer ses propos, à mettre du sel dans leur relation. Léa se dit qu'il ne faut pas qu'elle prenne de risque, qu'elle doit faire tout ce qu'il désire, elle veut tellement entendre ses déclarations une autre fois. Elle aime qu'on croie en elle, ça lui met de la nourriture dans l'imaginaire. Avec elle, ce n'est pas compliqué, pas besoin de vison, de rubis ou de Cadillac pour la gagner, juste d'être là, d'être gentil avec elle, et le tour est joué. La seule condition : croire en elle.

Elle aime comment Fred Riche prononce son prénom, c'est comme s'il caressait son âme, mais son corps, Fred Riche ne veut pas le caresser. Léa attend donc ce qu'il veut en échange des beaux mots. Il n'arrête pas de remonter ses lunettes qui glissent constamment sur son nez, il va et vient dans son immense salon entre les bustes de Rodin et les personnages de Modigliani. Il regarde par la fenêtre de style anglais qu'il a fait retaper cet après-midi par Linen Chest, parce qu'avec lui tout doit coûter la peau des fesses, une chemise à moins de 300 $, ce n'est pas une chemise, c'est un torchon à vaisselle, il le lui a dit, il lui a dit aussi qu'il aimerait lui acheter des vêtements qui ont de l'allure parce qu'elle s'habille comme une réfugiée.

Fred Riche se tait, respire à vide, respire fort comme un animal en cage. Léa est assise bien droite sur son fauteuil en silence, nerveuse nerveuse, comme si elle attendait un verdict. Fred Riche respire encore plus fort, se retourne rapidement, la fixe trop longtemps pour que ce soit normal.

— Je voudrais qu'on soit longtemps ensemble.

Il rajoute d'autres choses, mais elle n'entend plus rien. Il lui parle et elle a des idées de mariage pour de bon plein la tête, toutes les choses qu'il lui a dites depuis qu'elle est arrivée ont fait éclater son ego en un feu d'artifice. Mais comment pourrait-elle ne pas exploser quand cet homme lui dit qu'il aime qu'elle soit différente des autres filles qu'il a connues, qu'elle est la fille qu'il a attendue toute sa vie, qu'il a l'impression de vivre un moment historique en sa compagnie, qu'il en a lu des livres à profusion sur la vie des peintres, des créateurs, et qu'il sait qu'elle fait partie de ceux-là, qu'il se sent important quand il est avec elle? «Il doit s'y connaître puisque c'est lui le spécialiste des œuvres d'art, or s'il le pense, c'est que c'est la vérité, je suis quelqu'un, Fred Riche est là pour le prouver, pour attester de son sceau ma véritable nature», pense-t-elle. Fred Riche répète ses phrases incantatoires avec force et énergie. Léa est emportée dans son tourbillon, il la tient par le nez comme un charmeur de serpent, il lui dit tout ça, en lui demandant de faire des choses pour lui.

Fred Riche veut quelque chose d'autre que des relations sexuelles, quelque chose de plus intellectuel, qu'il dit, quelque chose que seuls les esprits élevés comme les leurs peuvent comprendre, voilà ce qu'il lui dit, il veut de l'absolu, il veut des caresses absolues. Léa est bien prête à lui donner tout ce qu'il veut, ce n'est pas tous les jours qu'elle rencontre des gens qui croient en elle comme ça, alors elle est prête à tout, y compris aux caresses absolues.

— As-tu apporté les disques que je t'ai demandés?

— Oui, mais tu sais, ce n'est pas du tout ton style de musique…

— Je veux que tu les fasses jouer, nous en avons besoin pour l'expérience.

Elle met dans le lecteur un CD de Ministry, de la musique de fin du monde, avec la crainte que ça lui tape royalement sur les nerfs. Lui qui n'écoute que du Schubert, du Vivaldi, du Paganini, il va en être toute betterave, songe-t-elle. La musique de fin du monde est au maximum, elle se répercute partout dans la maison, fait trembler murs, vitres, verres, bibelots, tableaux. Fred Riche ordonne à Léa de le suivre dans sa chambre à coucher, elle le suit à la manière d'un chien docile. En s'y rendant, il lui explique qu'elle s'apprête à vivre une grande expérience, une expérience très importante, qu'elle connaîtra un autre versant de sa personne, qu'il faut qu'il sorte le fiel d'elle pour l'aider à créer, qu'il s'apprête à lui donner une grande leçon d'art.

Une fois dans sa grande chambre bleue éclairée par deux petites lampes en forme de glaçons, il enlève ses lunettes et se déshabille rapidement, il est nu comme un ver devant Léa qui ne sait trop quoi faire. Elle se déshabille donc à son tour sous les yeux nerveux de son amant. Une fois nue, elle vient pour s'approcher de lui quand il crie : «Non!» Son non est intransigeant. Ils restent là debout à se regarder, complètement nus, à regarder leurs corps éclairés faiblement par les deux petites lampes en forme de glaçons, leurs corps bleus. Les seins de Léa pointent vers le plafond à cause du froid. Elle remarque qu'une goutte perle sur le bout de la queue de Fred Riche. Au lieu de se sauter dessus et de s'embrasser férocement comme au cinéma, ils gardent leurs distances, ils ont l'air fous, se dit Léa, d'autant plus qu'à force de fixer Fred Riche dans ce faible éclairage, elle le voit embrouillé, tantôt comme s'il se dédoublait, tantôt comme s'il n'avait plus de buste, n'était qu'une tête avec des yeux ridicules collés l'un sur l'autre, un long nez, une bouche sur la joue, et des jambes munies d'une queue et de couilles, et une goutte qui se transforme maintenant en un long filet.

Fred Riche appuie ses mains sur le mur en face de son lit, écarte les jambes, laisse tomber la tête entre ses bras. Léa ne comprend rien! Elle a l'impression d'être en terre étrangère, comme si elle était au pays des Oumpa Loumpa! Elle devrait se sauver, mais non, elle reste là, elle n'a pas peur, trop intriguée de voir où ça peut la mener. Quand on est artiste, on se doit de vivre des tas d'aventures! Quand on est artiste, et qu'on a furieusement besoin de phrases d'amour, on se doit de plonger dans différentes histoires, sinon on se répète, on radote, on quémande de l'affection les mains tendues dans le vide, songe-t-elle. Et comme Léa a furieusement besoin de phrases d'amour, elle est prête à plonger tête première dans ce stage amoureux.

Fred Riche lui dit de soulever son matelas et d'enlever la planche cassée qui se trouve au pied du lit. Léa s'exécute. Elle découvre un sac rempli de toutes sortes d'instruments de torture: un collier de chien, des pinces à seins, des chaînes, des menottes, des bittes en caoutchouc de toutes les tailles, une cravache, etc. Il lui dit de prendre le collier de chien et de le lui mettre. Léa lui enfile la chose en serrant derrière sa nuque. Ensuite, il lui ordonne de prendre la cravache et de lui en donner des coups dans le dos, sur les cuisses et sur les fesses. Léa se retrouve donc avec ses idées de mariage plein la tête, debout, complètement nue, une cravache à la main, les bras ballants, derrière son amant appuyé sur son mur, qui lui demande de le rouer de coups.

— Léa, ce n'est pas pour rien que ton peintre préféré

est Picasso. Picasso était un être en colère et il a jeté sa colère dans ses toiles, surtout quand il a peint *Guernica*, la plus extraordinaire toile qui existe! Quand il a produit cette œuvre, il était en colère à cause de la guerre! Il l'a peinte à l'échelle du mur pour montrer l'immense monstruosité de la guerre. *Guernica* est la représentation symbolique de toutes les guerres modernes. Et toi aussi, Léa, il y a de la guerre en toi! Alors, allez, sors-la! Allez! Frappe-moi, Léa! Montre-moi ce que tu as dans le ventre! Montre-moi ta force, ta rage. Oui, sors ta colère, sors-la, ta foutue colère!

Léa exécute ce qu'il lui demande. Un coup!

— Pas assez fort, Léa!

Un autre coup!

— Encore plus fort!

Puis un autre et un autre et encore un autre, elle frappe tellement et avec tant d'énergie que son geste devient mécanique, elle est comme hypnotisée. Soudainement elle est la cravache qui veut dompter le lion, la cravache qui commande au cheval la direction, la cravache qui se transforme en baguette magique et qui change sa mère en maman ordinaire, en maman attentive qui la regarde avec des yeux aimants, non plus vitreux et absents, en maman qui l'attend à la maison avec une collation pour les petites filles qui rentrent de l'école, en maman qui lui flatte les cheveux quand ça ne va pas, quand ça ne tourne pas rond, pas une maman qui avale des containers de pilules et qui passe sa vie les émotions gelées comme prises dans de la neige, elle est la cravache qui détruit les barbelés maternels qui l'empêchent de se sauver depuis toujours. Ses pensées la propulsent, l'expulsent d'elle-même, la sortent de ses gonds, la provoquent comme une femme enceinte, lui injectent du pitossin dans la colonne vertébrale, elle est raide de rage, elle enfante la rage, elle n'a plus de limites, plus rien ne la retient, elle ira cracher sur vos tombes!

Fred Riche lui crie d'arrêter. Il lui dit de se rhabiller, d'appeler un taxi et de partir, il y a de l'argent pour son taxi sur la table de cuisine. Il est en sueur, bariolé de marques rouges, repu comme un nourrisson qui a bien bu au sein, il a les jambes tremblantes. Léa le laisse comme ça, et elle s'en retourne dans l'infection, auprès de sa mère, en tenant sa rage par la main.

# Onzième lettre

Je mériterais d'être une prisonnière de guerre, d'être livrée à une vingtaine de soldats, dans un minuscule cachot sombre, qui sent la pisse et la putréfaction, et qu'ils s'affairent sur mes organes génitaux pendant des heures, des jours, des semaines, jusqu'à ce que ma vulve et mes seins ne soient que plaies béantes. Ensuite, on m'enfermerait dans une cage de la grandeur d'un sarcophage et on m'y laisserait durant des années. La journée où on me permettrait de sortir, je devrais courir à toute vitesse pour éviter les balles de leurs fusils, mais comme je n'aurais pas marché depuis longtemps, mon corps me trahirait et je finirais disloquée, répandue en pleine ligne de tir. Je mériterais les pires choses, maman, j'ai voulu me débarrasser de toi, j'ai souhaité couper le cordon ombilical et qu'enfin je puisse avoir une vie semblable à celle des autres filles, et voilà ce qui est arrivé, tu es retombée dans ta folie. J'aurais dû le prévoir, chaque fois que j'ai tenté de m'éloigner de toi, juste un peu, tu as cessé de prendre tes pilules pour me retenir. C'est ta manière de tirer sur ma laisse. Tu as laissé tes pensées noires t'envahir, prendre toute la place, à en devenir des entités indépendantes qui marchent continuellement à tes côtés dans la maison, qui assistent à tout, qui commentent tout, qui me regardent comme toi avec des yeux de pamplemousses. J'ai l'impression d'être dans une secte, d'être le messie tant souhaité de votre secte et que vous vous accrochez à mes pieds pour que je reste parmi vous. Tu transportes ta maigreur de pièce en pièce, partout où je vais. Parfois, tu t'assois au pied de mon lit et tu fixes le plancher. Tout ce que tu touches se transforme en angoisse transparente, j'ai soudainement l'impression que le sol et l'édifice prennent la forme d'une névrose et se désintègrent sous nos pieds. Le lit reste comme un radeau suspendu au septième étage dans le vide, j'ai le vertige, j'aurais envie de m'accrocher à toi, mais si je le faisais, moi aussi je disparaîtrais.

L'édifice a repris sa forme initiale, le plancher sale de la chambre s'est reconstruit sous nos pieds. Je me lève et vais chercher la bouteille de vin que j'avais mise dans le frigo pour mon anniversaire, car c'est aujourd'hui, c'est mon anniversaire, et tu n'es pas présente, encore une fois tu ne verras pas les années me passer sur le corps, encore une fois tu auras l'impression que je ne vieillis pas, que je suis toujours ta petite poupoune et que je dois rester avec toi pour qu'on prenne soin l'une de l'autre. Je bois le vin trop vite et t'en donne, même si tu ne dois pas en prendre, l'alcool et le lithium ne font pas bon ménage. Étrangement, ça te délie la langue, un peu, tes propos sont incohérents, mais au moins j'apprends qu'en effet ça fait quelques jours que tu ne prends plus tes pilules pour dormir, qui en réalité ne sont pas des pilules pour dormir, mais des antipsychotiques, les pilules les plus importantes pour ta santé mentale. J'ai envie de t'engueuler, de te rouer de coups, de te battre jusqu'à ce que tu comprennes que quand tu ne prends pas tes pilules, c'est ma vie à moi que tu ruines, que tu n'as pas le droit de me faire porter ta maladie comme ça, que tu n'as pas le droit de me faire sentir coupable, de vouloir que je m'occupe de toi comme si tu étais un bébé qui ne grandira jamais, mais je ne dis pas un mot. J'appelle ton psy, pour un rendez-vous rapido presto, en lui expliquant le problème. Tu auras de nouvelles pilules. Tout rentrera dans l'ordre comme d'habitude. Je retournerai en Suisse, auprès de mon mari et de mon chien, et là enfin je serai peut-être bien.

# CHAPITRE 11

# La joie de vivre

*Antibes, automne 1946*
*Huile sur bois aggloméré, 120 cm x 250 cm*
*Antibes, Musée Picasso*

Léa est dans une galerie d'art, tout scintille autour d'elle, c'est sa première exposition. Les gens contemplent ses tableaux, en s'extasiant devant ses créations. Certains dessins sont de sa mère, mais la majorité sort tout droit de son inconscient à elle. Sa tendinite ne la fait plus souffrir, sa main s'est dépliée, enfin, et elle a pu créer à son tour des chefs-d'œuvre en série. Des gens s'approchent d'elle en souriant, les yeux remplis d'admiration, pour la féliciter. Des équipes d'émissions de télé se sont même déplacées pour ne pas rater l'événement du siècle, la fille de Picasso est née. Camille est à côté d'elle pour accrocher après ses beaux vêtements le microphone qui lui permettra de répondre aux questions de l'animatrice. Léa sourit de toutes ses dents. Elle est enfin devenue quelqu'un. Ça, c'est son rêve, le fantasme qui l'aide à affronter chaque jour le nuage gris qui plane au-dessus de sa tête. Mais voilà, ces images ne font plus leur apparition. En fait, depuis quelque temps, Léa se réveille avec des yeux qui lancent des éclairs de feu. Elle est comme un chat attaché à un poteau, elle se débat comme une damnée pour rompre ses liens invisibles, elle rue dans les brancards, elle rue dans son trou à rats comme une damnée attachée à un poteau. La rage qu'a réveillée Fred Riche ne veut plus s'endormir. Léa voudrait détruire tout ce qui l'entoure, tout tout tout sans exception, même feu Miaou, son chat empaillé, témoignage de son passé qui ne vaut pas le détour. Dans sa courte existence, tous ses liens affectifs, tout ce à quoi elle tenait, tout ça a toujours disparu, y compris sa possibilité de devenir une grande peintre qui tente de se faire la malle, son poing est épouvantablement replié sur lui-même, malgré qu'elle ait envie de créer comme une forcenée ! Elle a tellement envie de créer qu'elle peindrait à coups de poing ! Sa mère, par contre, est toujours là. Sa mère, qui lui a volé son enfance et qui joue dans son fantasme de vie future, continue de lui prendre tout, croit-elle. « Elle me prend même la tête, puisqu'elle s'est teinte en rousse, ma Monna Lisa de mère a maintenant elle aussi des cheveux aussi rouges qu'une église en feu, elle croyait peut-être me faire plaisir en m'imitant, elle croyait se rapprocher de moi en changeant de tête, la seule chose qu'elle a réussi à faire, c'est de me donner envie de me servir de son crâne pour faire une sculpture ! Et ma mère est heureuse en plus, je le vois bien que ça lui plaît de se prendre pour moi. Elle fait exprès de me narguer avec sa facilité à dessiner, je suis jalouse jalouse. »

Léa va dans la cuisine auprès de sa mère, en espérant que cette rage qui la gruge à petit feu se déportera sur sa personne, mais voilà, dès qu'elle est en sa présence, sa rage se tait, ne dit plus un mot, chut chut. Elle trouve sa mère trop belle concentrée sur son dessin, le bout de la langue sortie, à la manière d'une petite fille de quatre ans et demi.

Léa se dit qu'on ne peut pas haïr les enfants, leur en vouloir de s'amuser, même s'ils ont quarante-cinq ans et des poussières, qu'ils ont des rides au coin des yeux et qu'ils peuvent signer des chèques. Léa ne peut pas la détester, elle ferme la porte au nez de ses pensées noires.

Écœurée de fixer le néant de sa vie, elle décide de se rendre à la galerie Paloma, il faut qu'il se passe quelque chose. Elle est tellement enragée contre tout, et surtout contre elle-même, qu'elle n'a plus rien à perdre. Sa mère est encore occupée à peindre, bien engoncée dans son monde à elle avec sa poule, attablée à la vieille table de cuisine tenue par de vieux dictionnaires. Aujourd'hui, elle fait de la reproduction, elle reproduit tout ce qu'elle voit avec ses yeux tournés dans sa tête, elle reproduit des nonnes qui doivent être saintes avec des couleurs pastel, des madones aussi avec des bébés auréolés, elle est dans sa période ecclésiastique. « Ma mère est pure, sans méchanceté aucune, et son malheur est d'avoir enfanté une fille pleine de merde qui lui vole son identité », fulmine Léa.

— Môman, il faut que tu prennes tes pilules de bonne nuit !

— Non, c'est pas l'heure. Les pilules de bonne nuit, c'est à neuf heures le soir, et là, il fait clair !

— Môman, j'ai dit qu'il fallait que tu prennes tes pilules de bonne nuit !

— Non, Léa, je viens de me lever de ma sieste. La preuve, je suis encore en robe de chambre !

— Justement, Môman, quand t'es en robe de chambre, ça veut dire que tu dois prendre tes pilules de bonne nuit !

— Non, j'veux pas !

— Ah oui ! Eh bien, tu vas aller te coucher, que tu le

veuilles ou non ! Je dois sortir, j'ai un rendez-vous important, et je veux pas m'inquiéter pour toi !

« Non ! » « Oui ! » « Non ! » « Oui ! » S'ensuit une bataille de titans où Léa sortira vainqueur. Sa mère doit dormir pour que Léa ait toute son aise, pour qu'elle ne s'en fasse pas. Elle réussit donc à se défaire de sa génitrice en l'enfermant dans son trou à rats, avec un bol d'eau et de la nourriture ainsi que la table tenue par les vieux dictionnaires et ses feuilles de papier pour qu'elle continue sa production de chefs-d'œuvre en série !

En sortant du HLM, Léa tombe sur Midi et Quart, qui veut savoir où elle s'en va comme ça. Elle ne lui répond pas, continue son chemin. Midi et Quart se met à la suivre comme un caniche. Il faut qu'elle s'en débarrasse, son avenir l'attend. Elle marche vite, comme une fusée dans la rue. Mais Midi et Quart ne se laisse pas facilement décourager, il marche aussi vite qu'elle, en continuant de lui demander où elle va, pourquoi elle ne lui dit rien, pourquoi elle ne veut plus le voir, pourquoi il ne fait pas partie de ses plans futurs. Léa en a ras le pompon.

— On n'a pas d'avenir ensemble, je vaux plus que ça, je vaux plus que toi !

Et voilà, c'est sorti tout seul. Midi et Quart cesse de la suivre pour la regarder s'éloigner tout penaud. Elle vient de fracasser ses rêves. Il s'en remettra. On s'en remet toujours, se dit-elle.

Léa défonce le froid de l'hiver, fait éclater les flocons de neige, il faut qu'elle sache ce que la galeriste compte faire des dessins, il faut qu'elle les achète, il faut de l'argent, Léa en a assez d'être née pour un petit pain, elle en a tellement assez qu'elle souhaiterait être une kamikaze et se faire exploser en pleine heure de pointe au Centre Eaton. Les morts pleuvraient tout comme les bouteilles de parfum coûteux, les fringues hors de prix et les objets qu'elle n'a jamais pu se procurer. Il faut qu'il se passe quelque chose.

Cette fois-ci, Léa pénètre dans la galerie sans se poser de questions, elle ne se demande pas si elle est assez bien fringuée, si elle saura parler, si elle est assez bien pour se trouver dans cet endroit. Elle entre comme un coup de tonnerre, prête à faire valdinguer tous ceux qui pourraient se mettre en travers de son chemin. Léa se pointe dans le bureau de Paloma avec la ferme intention de lui sauter à la gorge si elle ne prend pas les dessins, mais dès que Paloma la reconnaît et lui sourit, Léa se transforme en statue de sel.

— Bonjour, Léa, c'est ça? C'est bien Léa votre prénom?

Léa fait signe que oui.

— Vous venez sûrement pour savoir ce qui en est des dessins que vous m'avez remis. Eh bien, je vais être franche. Je les trouve… comment dire? Plein de potentiel, mais pas encore au point. Il manque une certaine unité, disons, dans ces dessins. Quelque chose d'un peu plus contenu, moins éclaté. L'idée des petits bonshommes allumettes est très bonne, mais il faut la pousser plus loin. D'ailleurs, je vous recommande de jeter un coup d'œil sur les dessins de Jean-Michel Basquiat, vous pouvez y puiser une certaine inspiration, ses dessins sont…

Un torrent de larmes coule sur les joues de Léa. Elle s'assoit sur une chaise et laisse choir sa tête sur ses genoux, comme si elle était trop lourde, comme si ça faisait des années qu'elle la portait et qu'elle était rendue à bout de forces. En fait, elle se laisse entièrement aller, la tête, les bras, les jambes, elle n'est plus qu'une poupée de chiffon mouillée.

— Léa… Léa… Ne pleurez pas de la sorte, ça prend du temps avant d'arriver à créer de grandes œuvres, ça demande beaucoup de travail. Mais à force de persévérance, parfois on y parvient. Même s'il n'y a rien de garanti. Léa…

Léa pleure de déception, de frustration. Elle en a assez de sa petite existence minable. Elle veut de l'argent. Elle veut changer de statut social. Elle veut qu'il se passe quelque chose de sensass pour une fois dans sa vie.

— Léa, ne pleurez pas tant, ça me met mal. Vos dessins sont bons, après tout. Vous êtes sur le bon chemin. Ce n'est pas catastrophique…

— J'arriverai un jour à faire mieux, j'en suis certaine ! C'est juste que je suis fatiguée d'être pauvre, j'ai besoin d'argent. J'ai à peine quelque chose à manger, et vous avez vu comment je suis habillée ? Que des vieux vêtements, pleins de mousses ! Je suis fatiguée de vivre comme ça. Avez-vous déjà pleuré à une heure du matin parce que vous aviez faim, parce que vous rêviez de manger un Big Mac ? Eh bien, moi, oui, et je suis épuisée de ça.

— Ma pauvre enfant. Allez, Léa, je peux te dire tu ? Viens, Léa. Viens, je t'invite au resto, viens manger. Je ne peux pas te laisser ainsi.

— Non, j'ai honte, je peux pas aller au resto habillée comme ça, et avec mon mascara qui coule. Et puis, je risque de pleurer devant tout le monde sans arrêt.

— Bon, alors, viens, je t'emmène manger chez moi. Je vais voir ce que je peux faire pour toi.

Léa est dans la voiture de Paloma. Cette dernière lui parle tout le long du trajet peut-être de peur qu'elle se remette à pleurer ou pour l'empêcher de penser à son ventre qui crie. Léa l'écoute, parle peu, en fait, jusqu'à maintenant elle n'a fait que répondre à sa question, pourquoi son bras était-il plié ainsi? Un accident, elle a glissé sur une plaque de glace, a-t-elle menti. Autrement, elle se tait, en se disant que cette femme doit penser qu'elle est gênée d'avoir éclaté en sanglots, mais elle a tout faux, Léa est tellement contente qu'on s'occupe d'elle qu'elle craint de dire une niaiserie et que Paloma la laisse sur le bord du chemin. Alors, elle se tait et écoute, elle note tout ce que la galeriste dit, car pour elle, c'est de toute première importance, c'est ainsi qu'elle apprendra à se conduire dans le grand monde, qu'elle saura enfin de quel côté, à gauche ou à droite, il faut mettre la fourchette, alors que jusqu'à aujourd'hui, elle a surtout veillé à ce que l'ustensile ne se retrouve pas dans l'œil de sa mère.

Elles sont arrivées à la campagne. Les chiens de Paloma sautent de joie sur Léa, ils la lèchent, la goûtent. Elle se sent accueillie. Elle n'a plus envie de pleurer. L'amoureux de Paloma, beau comme un dieu, vient à leur rencontre, il la salue et s'en retourne caresser sa guitare, caresser lui aussi ses idées de star, se dit Léa. Paloma lui fait visiter la maison pendant que les animaux les suivent à la queue leu leu. Puis elle l'amène marcher dans son pré où, maintenant Léa en est certaine, se trouve le bonheur. Durant leur promenade sur la neige couverte de glace, Paloma lui raconte ses études, car elle a étudié longtemps, à vouloir cerner l'homme et tous ses travers; elle lui parle de son ancien boulot de travailleuse sociale, duquel elle s'est écœurée, elle en a eu assez de vouloir sauver tous les enfants du monde en les adoptant à qui mieux mieux dans l'espoir de leur offrir une meilleure vie, elle s'est fatiguée de si peu de reconnaissance et des masses de papiers à remplir, elle s'est donc tournée vers les tableaux et les animaux qui, eux, demandent moins de formalités pour apprécier le paradis terrestre ; elle lui parle de ses animaux, l'immense toutou gros comme un chameau, qu'elle avait aimé comme son enfant, qui avait subi la méchanceté des humains et qu'elle avait accueilli de bon cœur, même si parfois il lui avait donné du fil à retordre, ayant mangé toutes les oies qui pataugeaient tranquillement dans son lac des cygnes. Elle en parle si bien que Léa en est toute guimauve, durant un moment, la peine de Paloma semble plus triste que la sienne, elle en oublie les pilules de sa mère, le manque d'argent, tout son passé de petite souris.

— Léa, regarde la lune comme elle est belle ce soir ! Tu savais qu'en astrologie, la lune représente la mère ? Je pense que c'est ça ! De toute façon, je ne comprends rien à l'astrologie ! D'ailleurs, nous les Verseaux, on ne croit pas à ça, l'astrologie, dit-elle à Léa en l'observant.

Léa ne dit rien, ne sourit même pas.

— Léa, c'est une blague ! Tu n'es pas obligée de rire ! En tout cas. Quel type de personne es-tu ? Quand tu dessines, es-tu du genre à défoncer les portes pour avoir de l'inspiration ou plutôt du type ascète qui s'enferme jusqu'à ce que l'inspiration jaillisse ?

— Euh…

Léa ne sait vraiment pas quoi dire, elle sait seulement qu'elle est du type d'artiste qui vole sa mère.

— Tu es jeune, c'est normal, dans le fond, que tu ne

sois pas encore bien consciente de ce qui te pousse à créer. Mais qui t'a inspirée?

— Picasso!

— Tu n'as jamais pensé à adopter un surnom, je ne sais pas… Guernica, par exemple!

— Euh… Non… euh…

— Tu as le droit d'avoir un surnom, y a pas de mal! Le peintre Zilon, c'est un surnom! Qui d'autre aussi? Ah, j'ai la mémoire en bouillie, j'ai faim, c'est pour cela. Mais oublie l'histoire des surnoms, c'était une idée comme ça, c'est juste que je trouvais que tu avais l'air d'une petite fille en pleine guerre! Et il y a quelque chose d'enfantin chez toi avec tes grands yeux. Au fait, savais-tu que c'est dans les années trente, au contact des surréalistes, que Picasso a découvert le pouvoir créatif du dessin enfantin? Très précoce, Picasso n'a jamais eu l'occasion de dessiner comme les enfants. En tout cas, dans *Guernica,* son plus célèbre tableau, on peut y déceler cette influence.

Elle l'écouterait durant des heures, mais il est temps de se nourrir. Paloma lui dit qu'elle fera des tournedos. Léa n'en a jamais mangé, mais elle trouve que ça a l'air drôlement bon. En fait, tout a l'air d'être mis en place pour la venue d'une princesse, et cette princesse, c'est elle, Léa n'en revient pas. Elle sait qu'il y a erreur sur la personne, c'est sa mère qui devrait être à sa place. Elle a envie de lui dire que ce n'est pas elle la princesse, mais sa mère, que c'est sa mère qui devrait manger des tournedos. Elle, elle n'est que la servante, celle qui a droit aux fourneaux et aux cendres parce qu'elle n'a pas encore réussi à peindre quoi que ce soit qui vaille, alors que sa mère a tout de même le mérite de s'atteler à la tache du matin au soir, on devrait la laisser dehors avec les chiens et lui apporter les restes s'il en reste. Mais elle ne dit rien, elle continue de se la fermer et elle accueille le bonheur avec une barre dans l'estomac. Tout est tellement beau ici, tout est tellement parfait, et cette femme est formidable, se dit-elle. Paloma est tellement quelque chose de gros avec ses cheveux en bataille et ses petits bas rayés de la sorcière du magicien d'Oz. Tout est trop pour Léa. Elle voudrait qu'elle l'adopte, qu'elle fasse d'elle le fruit de ses entrailles est béni, l'héritière de ses gènes et de sa maison. Elle sait que ça ne se fait pas de prendre pour enfant une grande fille de vingt-trois ans, majeure et vaccinée, que c'est mal vu socialement de prendre dans ses bras une grande fille qui en principe doit se débrouiller seule dans la vie, de la bercer, de lui donner la becquée, le sein droit et de lui acheter des jouets à Noël. Mais elle aimerait tellement rester ici avec elle, elle se ferait élever de nouveau sans rechigner, elle repasserait par toutes les étapes du développement : le stade oral où elle mettrait tout ce qui traîne dans sa bouche, de la terre, des fourmis, des manches de guitare, et Paloma la regarderait en lui disant que ça ne se fait pas, elle referait même ses premiers pas dans la civilisation, sur le petit pot à apprendre à chier comme du monde sur l'humanité, et Paloma s'exclamerait : « Ah ! Tu nous as fait un beau cadeau aujourd'hui ! Bravo ! C'est beau ! C'est beau, Léa ! », le soir, en mangeant à table, elle s'efforcerait de faire la difficile en balançant son brocoli sur les murs et dans les poils des chiens. Elle accepterait tout de cette femme pourvu qu'elle la garde dans sa grande maison de bois remplie de pièces et de la musique des saisons qui frappe contre les fenêtres. La nuit, Paloma la borderait dans sa chambre avec un lit à baldaquin, elle lui lirait une histoire de petite princesse qui veut devenir peintre, mais qui doit vaincre son daltonisme, elle lui donnerait un baiser sur le front et entrebâillerait sa porte pour ne pas qu'elle ait peur dans le noir, pour lui signifier qu'elle n'est pas loin, et que s'il y a un monstre en dessous de son lit, elle peut aller dormir près d'elle. Et chaque nuit, le monstre en dessous de son lit lui mordrait les orteils et en fille de l'air, marchant à toute vitesse comme si le carrelage était fait de charbons ardents, elle plongerait dans le lit de Paloma où elle se faufilerait entre elle et son amoureux, beau comme un dieu, et elle s'endormirait en s'imaginant petite Esquimaude perdue avec ses parents dans le fin fond de l'Arctique, qui dort dans un igloo à l'abri du froid, contre des fourrures d'animaux sauvages. Elle referait même ses poussées de dents, si c'est nécessaire, de toute façon, ça serait possible puisqu'elle porte un partiel. Léa a vingt-trois ans et n'a déjà plus toutes ses dents. C'est à cause des milliers de bonbons que sa mère lui donnait en guise de soupers, c'est à cause des kilolitres de Coke qu'elle a bus et qui faisaient pousser ses dents noires, comme elle l'a déjà dit, il n'y a que des niaiseries qui sortent de sa bouche. Mais à son âge, ça ne se dit pas : « Je veux que tu m'adoptes, je veux rester avec toi et être ta fille jusqu'à la fin de tes jours. » À son âge, on est censée être autosuffisante, se faire pousser des carottes dans les cheveux et s'en nourrir, vouloir s'émanciper, se rebeller contre l'institution familiale. Alors, Léa avale ses envies de famille et son tournedos, en essayant de respecter l'éthique à table alors qu'il lui serait plus facile de dévorer son plat comme les chiens à même le sol.

Ensuite, après l'entrée de salade verte, le tournedos, les

radis avec lesquels elle s'est étouffée et le gâteau au citron, Paloma l'invite à s'asseoir près du feu de foyer. Là, Paloma lui dit qu'elle pourrait l'aider, qu'elle peut lui tendre une perche. Elle a un ami peintre qui donne des cours de dessin, or, elle serait prête à la parrainer si elle le souhaite, si elle veut bien suivre des cours avec cet homme. Léa en a le vertige. Elle se dit que c'est sa mère à elle qui devrait suivre des cours, pas elle, d'autant plus qu'elle n'arrive plus à dessiner depuis des lustres, d'autant plus qu'elle n'est qu'une voleuse. Léa aurait envie de disparaître, les larmes lui montent aux yeux. Paloma change donc de sujet, le temps que la petite reprenne ses esprits, elle lui demande d'où elle vient, qui elle est. Léa n'ose pas lui dire qu'elle est la fille d'une folle, elle ne veut pas perdre ses chances de réussite, alors elle s'invente un passé au fur et à mesure que sa bouche se fait aller.

— Ma mère, c'était quelqu'un, c'était une trapéziste qui vivait dans les airs, prenait le thé au plafond, toujours la tête dans les nuages, mais ma mère est morte. Elle n'est pas morte d'une chute en bas de son trapèze, ça non, elle avait beaucoup trop de talent. Elle est morte en couches, j'avais tellement de personnalité que je lui ai défoncé le ventre, c'est ce que mon père m'a dit, et il était bien placé, puisque c'est mon père qui a constaté l'heure du décès. Mon père était chirurgien, il transformait la laideur en beauté, d'ailleurs c'est pour cela que j'ai décidé d'être peintre, pour transformer ce qui fait mal en espoir. Quand j'étais petite, mon père me faisait reproduire les tableaux qu'il achetait, car mon père était un fin connaisseur, et par-dessus le marché, il avait du fric, le fric lui sortait par les oreilles. Il m'a élevée seul dans un manoir loin de la ville, j'ai grandi parmi les œuvres d'art, la nature et les chirurgies plastiques. Derrière chez moi, il y avait un jardin de toiles, avec des fontaines faites à partir de sculptures de Rodin, des oiseaux virevoltaient partout autour. C'était beau à voir !

Paloma l'écoute avec attention, beaucoup d'attention, comme si elle entendait un autre discours dans cette histoire. Mais plus Léa raconte ces mensonges et plus elle y croit ! Pas étonnant, c'est ce qu'il lui a toujours manqué : une famille qui l'aurait dorlotée, qui se serait occupée d'elle, qui l'aurait consolée les soirs de pluie où la vie est vraiment trop crue, une famille qui aurait festoyé à cause de ses bons résultats scolaires. Après seulement quelques heures passées avec Paloma, Léa ne veut plus partir, mais comme toute bonne chose a une fin, Paloma lui dit qu'elle va aller la reconduire chez elle. En attendant, la balle est dans son camp, c'est à elle de choisir si elle veut oui ou non suivre des cours de peinture. Elle sait ce qu'il lui reste à faire. Oui, Léa le sait.

# Douzième lettre

*Les jours ont passé, mon passage à Montréal tire à sa fin.
Je dois m'en retourner dans mon pays d'adoption, exhiber
mon permis L de petite émigrée blonde pour avoir le droit de
me prélasser dans le canton de Vaud, avec mon mari et mon
chien, de louer des films tous les soirs au vidéomat, de manger les spécialités locales : raclette et fondue au fromage, de
faire du shopping chez Globus à Genève et à l'épicerie
Migros, et de temps en temps de partir pour une petite virée
dans les environs, à Soleure, dans le Valais, au mont Blanc, à
Paris et à Raon, chez les beaux-parents. Je dois prendre
l'avion cet après-midi, Lufthansa, vol 97, départ à 17 h 20,
arrivée à 8 h 50. Une amie viendra me reconduire, mon amie
que j'aurais aimé avoir pour mère. Car oui, maman, tout au
long de ma vie, j'ai fantasmé sur l'idée qu'on m'adoptait,
même encore aujourd'hui, il m'arrive de rêver à des choses
pareilles, je me suis même constitué une famille symbolique :*

cette amie qui vient me reconduire est ma mère; Louise, ma grand-mère; Bernard, mon père; Caroline, ma sœur; Jess, mon frère. En moi, il y a encore une petite fille qui joue à la corde à danser et qui n'est pas tout à fait sevrée. Et dire que cette petite fille allait enfin pouvoir grandir, passer à une autre étape! J'étais à deux doigts de réussir mon projet, d'en finir avec toi. Encore une fois, maman, tu contrecarres mes plans, en ne te rétablissant pas. Tu ne prends pas de mieux, malgré les doses spectaculaires de médicaments que ton médecin t'a prescrites, j'ai l'impression que tu le fais exprès pour que je m'inquiète, pour que je pense constamment à toi. Même que cette fois-ci, tu vas plus loin, tu vas jusque dans ma création. L'histoire de Léa et de sa mère folle, j'y pensais depuis longtemps, tout était déjà écrit dans ma tête. Mais tu as tout fait foirer. D'ailleurs, voilà comment le roman aurait dû se terminer.

Tout d'abord, il y aurait eu le titre inspiré comme tous les autres d'une toile de Picasso.

GUERNICA
Paris, 1ᵉʳ mai-4 juin 1937
Huile sur toile, 349,3 cm x 776,6 cm
Madrid, Museo Nacional del Prado,
Casón del Buen Retiro

*Ensuite, je voyais Léa. Elle aurait été invitée à passer à l'émission de télé de son amie non pas pour parler de ses créations, car elle n'aurait plus dessiné depuis longtemps, mais pour montrer aux téléspectateurs à quoi ressemble la pauvreté à l'état brut. Une émission sur les gens qui vivent de l'aide sociale et qui n'ont plus que des rêves auxquels s'accro-*

236

*cher. Léa se serait dit qu'elle a au moins la chance de se faire voir, de se faire reconnaître dans la rue, peut-être pas pour son talent, mais pour ce dans quoi elle a toujours vécu, la seule chose qu'elle connaît vraiment, la pauvreté qu'on pratique comme un sport extrême. Elle se serait rendue à cette émission de télé. Camille l'aurait accueillie, en l'enveloppant comme un poulpe et en lui disant qu'elle a monté un beau dossier sur elle, qu'elle n'a qu'à être elle-même à la caméra, et de ne pas se gêner si elle a envie de pleurer, verser des larmes, se répandre comme l'eau des rivières qui inonde des terres au printemps, les gens aiment bien voir la vraie douleur. D'ailleurs, Camille lui aurait même donné des tranches d'oignon pour qu'elle les frotte en cachette entre ses mains avant de porter ses doigts à ses yeux. Une fois l'émission de télé sur le point d'être enregistrée, Léa aurait observé les autres invités : trois femmes mal fringuées, les cheveux gras, l'œil sans vie, des femmes d'une quarantaine d'années au visage ravagé par l'alcool, la misère et le soleil de juillet sur des perrons goudronnés. Elle se serait vue en elles et c'est alors qu'elle se serait dit qu'elle ne peut pas faire cette émission, qu'elle n'est pas comme elles, qu'elle ne veut pas être reconnue en tant que petite pauvresse, qu'elle a du talent, qu'elle est Léa et qu'un jour elle sera la plus grande peintre que la terre ait portée. Elle se serait alors sauvée à toute vitesse. Camille, rouge de colère, lui aurait crié des bêtises à travers le studio, qu'elle est une lâcheuse, un être sans colonne vertébrale, une limace, et qu'elle ne mérite pas son amitié. Léa aurait couru à toutes jambes jusqu'au HLM, survolant les marches de l'escalier, fracassant des atomes d'oxygène, pulvérisant sa mère sur son passage, pour appeler Fred Riche. Elle se serait embarrée dans sa chambre avec le téléphone pour demander de l'aide* *au seul être, selon elle, qui peut vraiment la sauver. Même si les rapports entre eux depuis plusieurs semaines auraient tourné à vide, aurait tourné au vinaigre, et qu'elle aurait dû faire preuve d'une imagination digne d'une équipe de scénaristes pour animer leurs rencontres, c'est à lui qu'elle se serait accrochée comme à une bouée. En fait, après quelques soirées de séances de caresses absolues dans des habits de latex, avec des cravaches en peau de crocodile, Fred Riche en aurait eu assez de Léa, il se serait lassé de cette gamine prête à tout pour être aimée, allant jusqu'à se harnacher les hanches de bittes gigantesques pour l'enculer, allant jusqu'à prêter son corps à des pratiques abjectes afin qu'elle sente bien ce que lui ressent quand elle l'avilit. Oui, Fred Riche se serait écœuré de cette petite, si bien qu'un soir, en ne sachant pas trop quoi faire avec elle, il aurait pensé l'attacher à la tête du lit, les yeux bandés, et lui enfiler une cagoule sans ouverture pour la bouche ni pour le nez, une cagoule de latex dans laquelle elle serait asphyxiée à force de respirer son propre $CO_2$. Au lieu de devenir un meurtrier, il aurait donc cessé de la couvrir de compliments et de phrases remplies de vie possible à deux. L'adoration qu'il aurait portée à Léa aurait chuté de fois en fois pour se transformer en mépris, comme chez toute personne souffrant d'une forte mais fragile estime de soi; Léa n'aurait plus été utile à son ego. Il se serait fatigué de son objet comme on se lasse des chiots qui grandissent et qui demandent continuellement de l'attention. Il aurait donc espacé les rencontres, prétextant des voyages à l'étranger, « La collection d'œuvres de Jean Walter et Paul Guillaume au musée de l'Orangerie, Paul Guillaume a déjà été peint par Modigliani! et la céramique représentant la Méduse qui daterait de l'époque romaine et qui vient d'être découverte* quelque part en France alors qu'on s'apprêtait à construire un gymnase, je dois tout voir!» D'ailleurs, en principe, au moment où là, elle l'aurait appelé, il aurait dû être à Paris. Mais comme de raison, Fred Riche aurait été chez lui, et comme de raison, il n'aurait pas voulu se déplacer pour aller chercher sa jeune amante suppliante, en larmes, il lui aurait dit qu'il a du travail, qu'il est très occupé, qu'il n'a plus de temps à perdre avec des enfantillages et qu'elle ferait peut-être bien de passer à autre chose, à un autre appel, qu'elle peut continuer de l'aimer dans son for intérieur si ça l'enchante, mais de loin, sans jamais vouloir rentrer en contact avec lui, que ça lui ferait même plaisir qu'elle lui voue un culte, qu'elle garde sa photo dans sa chambre, près de son lit, et qu'elle fasse brûler des lampions. Oui, il y a bien pensé, leur relation doit prendre fin, parce qu'il s'ennuie avec elle, qu'elle n'a rien à lui apprendre, qu'elle n'est pas une femme qu'il peut amener avec lui dans des cocktails pour la présenter à son patron ou à ses collègues ou même à sa mère, qu'elle n'a pas l'envergure d'une gynécologue, d'une politicienne, ni même le mètre soixante-quinze d'une mannequin. Qu'entre eux, finalement, ce n'était qu'une question d'ocytocine et de dopamine libérées dans le cerveau par la jouissance. Léa aurait hurlé dans le téléphone, POURQUOI? POURQUOI? POURQUOI? sans comprendre pourquoi cet homme qui lui disait de si belles phrases, qui voulait rester avec elle longtemps, l'encourager à peindre, qui disait croire en elle, ne voulait plus la revoir. Fred Riche serait resté stoïque, comme un Bouddha sans compassion.

— C'est parce que c'est laid chez moi, que ça ne va pas bien avec ton veston Ralph Lauren, que tu ne veux pas venir me voir?

*Elle aurait été encore plus nerveuse. Un bouquet de nerfs tendus par un mal de dents, déjà qu'en temps normal elle a les nerfs qui font éruption pour un oui ou pour un non, à cause de son imagination qui fait défaut. Elle aurait été sur le point d'exploser!*

*Fred Riche n'aurait rien fait pour la rassurer.*

— *Mon amoureux, mon bel amoureux, extirpe-moi la boule de la gorge et le pieu du cœur, je ferai tout ce que tu voudras… Qu'est-ce que je peux faire pour me racheter? Dis-moi quelque chose!*

*Lui qui avait eu la manie de déverser un torrent de paroles en temps normal n'aurait rien répondu.*

— *Dis-moi ce que tu veux de moi, je suis prête à tout! Tu es le seul qui puisse m'aider à me sortir de cet univers de fous. J'en peux plus, je suis si fatiguée, si fatiguée.*

*Elle aurait eu trop besoin d'une porte de sortie pour qu'il la laisse à elle-même, elle aurait eu trop besoin de lui, soif de liberté, soif d'une vraie vie sans inquiétude, une vraie vie possible où elle aurait pu peindre l'âme en paix.*

— *Dis, mon amour, veux-tu que je te frappe comme tu l'aimes tant? Veux-tu me frapper d'abord? Ou encore veux-tu qu'on frappe ma mère, ensemble, tous les deux, jusqu'à ce qu'elle ne soit plus que de la pâtée pour chien? Dis-le-moi si c'est ça! Je le ferai si tu penses que c'est ce qu'il y a de mieux pour moi!*

*Fred Riche lui aurait dit de faire ce qu'elle veut.*

— *C'est ce que tu penses qui est le mieux pour moi, hein? Me débarrasser de ma mère? Eh bien, je vais le faire. Je serai la première fille infanticide, je me débarrasserai de celle qui m'empêche d'avancer dans la vie, qui m'empêche de plonger à pieds joints dans une vie meilleure et d'être ce que* je dois être. Je vais même réparer ma tendinite, je vais déplier mon bras pour passer à l'action.

Léa aurait passé son bras douloureux derrière la tête du lit et elle aurait tiré et tiré pour qu'il se déplie et qu'elle puisse librement sortir toute la rage qui l'habite. Sortir sa rage pour se débarrasser de sa mère folle qui rôde constamment dans l'infection. Elle aurait bien sûr ressenti la douleur, mais elle n'aurait plus pensé à son mal quand elle aurait vu ses doigts recourbés comme ceux d'une dinde morte commencer à se tendre. Fred Riche aurait raccroché depuis longtemps, mais Léa aurait continué sa torture comme s'il était là, comme s'il l'assistait en la couvant d'un regard bienveillant. Des couleurs auraient dansé devant ses yeux, des couleurs vives comme dans ce rêve où elle était dans une chaloupe sur un lac, elle était la jeune fille habillée tout de blanc avec son ombrelle du tableau de Monet. La paix n'aurait pas habité longtemps ses pensées, les couleurs se seraient décomposées selon la force qu'elle aurait mise pour déplier son bras. Un bruit sec se serait fait entendre, ensuite, une explosion de lumières, les couleurs auraient formé des cercles comme des auras qui entourent un drôle de personnage. Elle aurait entendu sa mère frapper comme un marteau-piqueur contre la porte de sa chambre, elle aurait crié son nom, elle aurait crié qu'elle veut entrer, elle aurait crié qu'elle a peur, qu'elle a peur, qu'elle a peur. Ça y est, le personnage, Léa l'aurait reconnu, la toile de Munch, le schizophrène qui hurle comme sa mère qui aurait continué de lui crier, « Léa, je veux entrer ! Léa, laisse-moi entrer ! » Léa aurait eu drôlement mal, mais elle aurait continué de faire bouger ses doigts qui auraient joué maintenant une petite mélodie sur la boîte en carton qui lui sert de table de chevet, une petite mélodie inconnue.

Sa mère aurait continué de frapper à sa porte, en criant : « Léa, ouvre la porte ! Léa ! Léa ! »

Le bras de Léa aurait maintenant été presque tout déplié. Mais après tant d'efforts monstres, une eau de sommeil aurait recouvert ses paupières, elle se serait endormie.

Plus tard, bien plus tard, les gémissements de sa mère l'auraient réveillée. Sa mère aurait passé des heures assise sur le plancher sale contre la porte de la chambre de sa fille, à gratter le bois comme le faisait autrefois feu Miaou, le chat empaillé. Sa mère n'aurait plus crié Léa à réveiller les morts, elle aurait seulement émis des plaintes semblables à celle qu'elle avait eue au salon funéraire quand la grand-mère est morte. Des gémissements semblables à ceux d'une personne qui se fait enlever un rein sans anesthésie. Mais Léa ne l'aurait pas laissée rentrer dans son univers, elle se serait dit : Ma mère sortira de ma vie pour de bon dans quelques heures. J'extirperai le pieu planté dans mon cœur qui m'a toujours empêchée de créer. J'ai les mains pleines d'air, je peindrai, il n'y a que des morceaux de moi accrochés à ma douleur, à mes manques pour me tenir debout, je peindrai, ma peau est pauvre de caresses, j'ai tellement froid en moi, mais je peindrai, même si la toile de ma vie s'est trop déroulée dans mon esprit pour que je puisse la montrer. Je suis Guernica, je suis la toile de Picasso, et dans ma tête, il y a un massacre : une mère hurle à la face d'un taureau tronçonné son enfant mort, une fille transpercée d'une planche écorche ses doigts sur le mur pour réclamer de l'aide, une autre femme traîne derrière elle sa jambe coupée, comme un bouleau, comme un gros jambon perdu, un cheval éventré piétine un homme démembré qui n'a jamais su s'il devait faire la guerre ou la paix, tenir le sabre ou la fleur, et un visage angoissé et rond comme la lune, immense, immense, voit toute cette misère sans pour autant faire quoi que ce soit, je le vois parfaitement bien, c'est le visage de ma mère.

Voilà, maman, comment le roman aurait dû se terminer. C'est Léa que je livrais en pâture, tout le long du roman, c'est elle que je faisais manger tout cru par sa mère, c'est elle qui me permettait de voir ce que j'aurais pu devenir si je t'avais écoutée, si je n'avais pris en considération que tes désirs, tes tracas, tes inquiétudes, tes angoisses, tes hallucinations. D'ailleurs, ce n'est pas pour rien que j'en ai fait une jeune fille qui souhaite devenir peintre, c'était ton désir, tu aurais telle-ment souhaité devenir peintre, tu te voyais installée dans le Vieux-Montréal, vendant tes toiles ou peignant les passants dans la rue des artistes, mais comme tu avais trop peur de te réaliser, tu as essayé de m'injecter dans les veines tes rêves, en me félicitant chaque fois que je produisais un petit gri-bouillis, en me faisant participer à des tas de concours, en affichant mes dessins que tu amenais avec toi dans ta chambre d'hôpital, en cure fermée, sur ton mur, scotchés. Mais tu vois, j'ai arrêté de dessiner dès que tu as eu moins d'emprise sur moi, j'ai barbouillé une feuille blanche à coups de crayon feutre noir, et c'en était fini, plus jamais je n'ai redessiné. Mais Léa serait tombée dans le piège, sans se rap-peler que, par le passé, sa mère rêvait à une carrière de peintre. Léa aurait été complètement happée par sa mère, si bien qu'elle en serait devenue à son tour timbrée. J'avais même pensé faire en sorte que tous les personnages qu'elle rencontre tout au long du roman ne soient que le fruit de son esprit, qu'ils n'existent pas pour de vrai, qu'ils ne soient là que pour mieux la faire verser dans la folie, une folie qui l'aurait *conduite à tuer sa mère à coups de manche de pinceau. Mais finalement non, elle n'a pas tué sa mère, et les personnages, Fred Riche, Camille et Paloma, ont existé pour de vrai dans l'univers de Léa, ils se sont servis d'elle à leur façon, du moins en ce qui a trait à Camille et à Fred Riche. Léa devait finir dans une institution psychiatrique à la suite de l'assassinat de sa génitrice ou bien tétanisée sur une chaise berçante, et en avant et en arrière, comme ces jouets accrochés aux vitres d'autos, et en avant et en arrière, avec son œil en moins à cause du coup de pinceau, et en avant et en arrière, à côté de sa mère, prenant la place de la grand-mère, mimant ses gestes et ses rictus, de manière à reformer la bulle de folie à deux. Une bulle parfaite. Plus jamais elle n'aurait eu la chance de rencontrer des amis, mère et fille auraient répété le pattern familial jusqu'à l'infini : tantôt la mère, tantôt la grand-mère et un peu la fille, mais jamais véritablement Léa. Toute excursion à l'extérieur aurait été un stress trop intense pour l'une et l'autre. Elles auraient fait leurs emplettes au dépanneur du coin, elles se seraient cachées chaque fois que le téléphone aurait sonné, l'extérieur, les autres auraient fait partie d'un monde parallèle trop dangereux pour qu'elles l'affrontent. Elles se seraient enterrées vivantes, angoissant sur les moindres petits bobos dans leur corps, elles se seraient laissées mourir psychiquement, en espérant ne plus avoir de présence d'esprit quand la véritable faucheuse passerait. Quand l'une des deux aurait trépassé, l'autre aurait veillé la dépouille, en état de décomposition avancée, des semaines durant jusqu'au jour où elle aurait trouvé la force de mettre un terme à cette vie insipide, en avalant des tas de pilules et en buvant des verres d'eau de Javel. Elle aurait eu en tête durant l'acte final : elle a besoin de moi dans l'autre monde, je dois aller la rejoindre. Oui, c'est ainsi que le roman aurait dû se terminer. Léa serait devenue folle comme sa mère parce qu'elle se serait entièrement donnée à elle. C'est dans la fiction que tout se serait joué, mais voilà, c'est Léa que je dois sauver. Moi, j'ai raté mon coup. Tu as trop besoin de moi et je te dois tout, car si je suis devenue ce que je suis aujourd'hui, c'est grâce à toi. Tu m'as transmis tout ce qu'il y avait de meilleur en toi, l'honnêteté, la sincérité, la gentillesse envers autrui, et surtout la capacité de créer. Par ta folie, tu m'as permis d'avoir accès à mon inconscient facilement, et cet inconscient ne me sert qu'à te faire du mal. Je dois me faire pardonner, me racheter en prenant soin de toi, maman. Je ne prendrai pas l'avion.*

ÉPILOGUE

# Deux personnages

*Boisgeloup, 28 mars 1934*
*Huile sur toile, 81,8 cm x 65,3 cm*
*Collection particulière*

Léa a réussi à sortir du tableau familial il y a cinq ans. Au début, pour s'aider, elle a bien tenté de s'accrocher aux gens qu'elle avait rencontrés, mais ils se sont vite effacés de son univers quand ils se sont rendu compte que cette fille était trouée de manques. Fred Riche a disparu du décor rapidement, ne donnant plus suite à ses appels, de toute façon, il avait accompli ce qu'il devait avec Léa : briller et être frappé. Camille n'a pas pardonné à Léa de l'avoir laissée tomber la journée du tournage de son émission de télé, elles ne se sont plus jamais reparlé. Paloma, par contre, l'a reçue à sa galerie et à sa campagne quelques fois, jusqu'à ce que Léa menace de saccager sa maison et sa galerie si elle ne l'adoptait pas. C'est Paloma qui a fait en sorte que Léa se fasse aider. À ce moment-là, il y a eu la police et les ambulanciers avec leurs bottes sales qui l'ont transportée à bout de bras comme si elle était une rock star. Léa est encore convaincue qu'ils l'ont même fait tourner comme une centrifugeuse, ce qui a fait sortir ses rêves de grande peintre de sa tête. Et splash sur les murs ! Puis il y a eu l'armée de psychiatres à qui elle s'obstinait à raconter qu'elle avait accouché de sa mère dans un salon funéraire. Mais elle a vite compris qu'ils ne faisaient que l'écouter déblatérer et prendre des notes qu'ils retenaient contre elle. Léa s'est tue et elle a gardé son histoire pour elle, de toute façon, ils ne comprenaient rien à sa poésie. Elle a gobé leurs pilules, ils étaient contents, et elle est partie chez elle, dans un vrai chez-elle, un petit studio de la rue Papineau. Sa tendinite s'est faite moins douloureuse de jour en jour, Léa a pu tenir une plume, mais elle n'a plus dessiné, qu'à l'occasion, elle s'est mise à écrire et elle a écrit, elle a écrit, jusqu'à ce qu'enfin elle accouche d'une nouvelle Léa, toute neuve, qui n'a plus besoin de s'accrocher à personne pour exister, qui n'a pas besoin d'être reconnue par le monde entier pour être quelqu'un. Elle a fait son petit bonhomme de chemin, la tête pleine de pilules, il n'y a jamais rien de parfait.

Léa retourne parfois chez sa mère, elle l'a mise en garde partagée en quelque sorte entre elle et le système hospitalier. Le psychiatre de sa mère a augmenté les doses des médicaments, alors elle peut vivre seule dans son HLM, vaquer à ses petites occupations, continuer à dessiner ses chefs-d'œuvre en série qu'elle expose régulièrement sur les murs des Impatients. D'ailleurs, sa mère va très bien, elle s'est même fait un petit ami. L'homme qui s'amusait à faire de drôles de danses grecques chaque fois qu'il produisait un trait, eh bien, c'est lui, c'est le petit ami de sa mère, et tous les deux, ils filent le parfait amour. Ils passent beaucoup de temps ensemble à se promener dans la rue, à donner à manger aux pigeons, à rire de la forme des nuages et à dessiner. La mère de Léa est très contente quand sa fille vient la visiter. Son visage s'illumine, elle sort tout ce qu'elle a dans le frigo, au cas où elle aurait faim, et dépose de grandes feuilles blanches sur la table. Léa et sa mère s'assoient côte à côte et font de beaux dessins couverts de ciels bleu nuit et de grosses taches jaunes. Des ailes poussent dans leur dos et elles s'envolent vers la lune.

MISE EN PAGES ET TYPOGRAPHIE :
LES ÉDITIONS DU BORÉAL

ACHEVÉ D'IMPRIMER EN SEPTEMBRE 2006
SUR LES PRESSES DE MARQUIS IMPRIMEUR
À CAP-SAINT-IGNACE (QUÉBEC).